S0-BJT-795

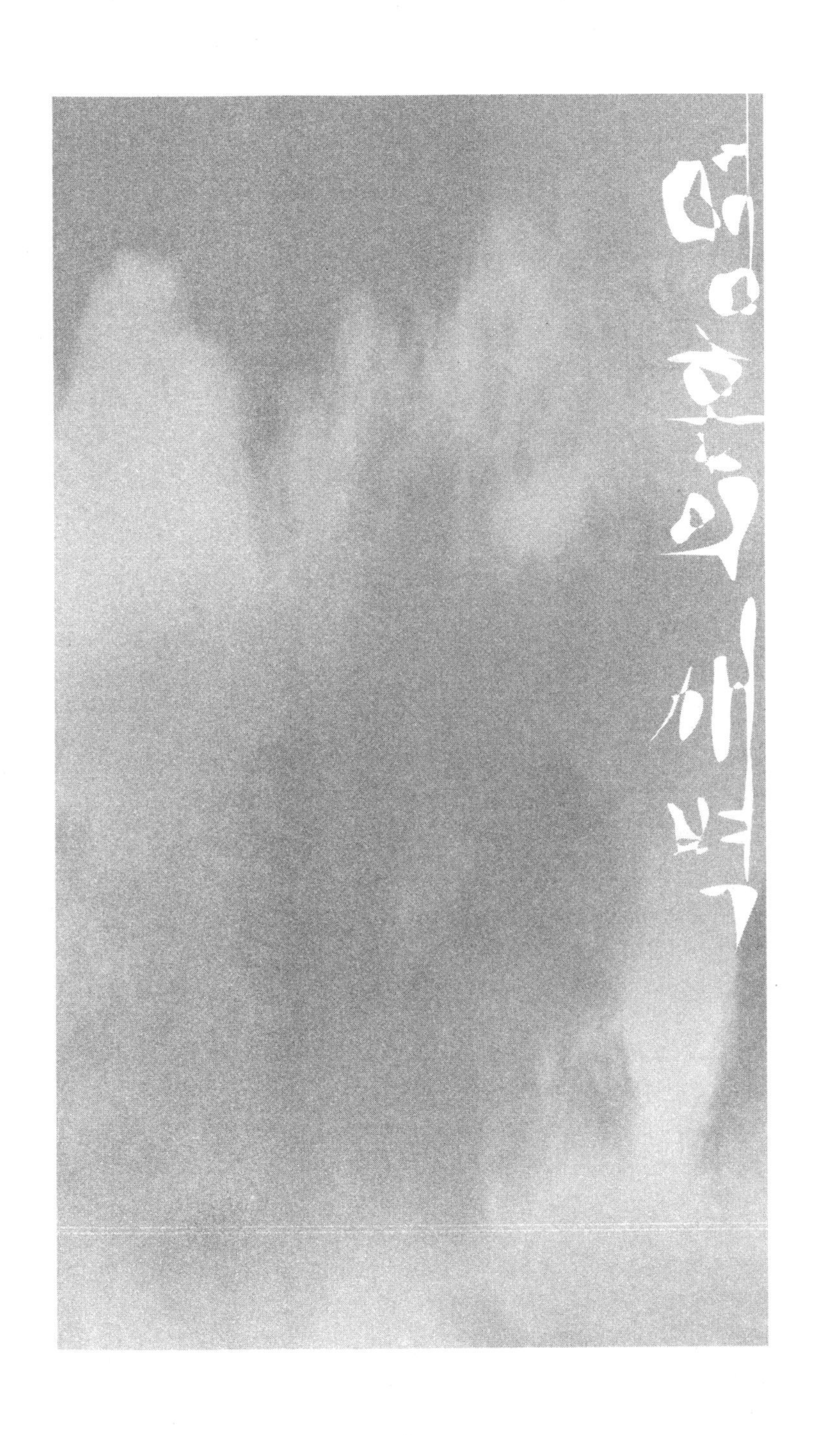

최인호 장편소설

영혼의 새벽 1

초판 발행/ 2002년 7월 24일
2쇄 발행/ 2002년 7월 26일

지은이/ 최인호
펴낸이/ 채호기
펴낸곳/ (주)**문학과지성사**
등록번호/ 제10-918호(1993. 12. 16)

서울 마포구 서교동 363-12호 무원빌딩(121-838)
편집/ 338)7224~5 FAX 323)4180
영업/ 338)7222~3 FAX 338)7221
홈페이지/ www.moonji.com

ISBN 89-320-1348-9
ISBN 89-320-1347-0(전2권)

값 8,000원

영혼의 새벽

1

최인호 장편소설

문학과지성사
2002

차례

제1장 재(災)의 수요일

1

사건이 시작된 것은 공교롭게도 사순절(四旬節)의 첫날이었다. 그는 사순절의 첫날이라는 것을 전혀 모르고 있었다. 퇴근길에 새로 이사 간 교구(敎區) 성당에 들어 먼젓번 성당에서 떼어 온 교적을 제출할 때 많은 사람들이 성당으로 떼 지어 몰려오는 것을 보며 그는 사무실 직원에게 물어보았다.

"저녁 미사 시간인가 보지요?"

"7시부터 저녁 미사가 시작됩니다."

그는 사무실 벽에 걸린 시계를 보았다. 아직 20분 정도 시간이 남아 있었지만 미리 성가대원의 지휘 아래 연습을 하고 있는지 성가 소리가 2층에서부터 울려 퍼지고 있었다.

"오늘이 재의 수요일이랍니다."

여직원은 그가 내민 교적을 받아 컴퓨터에 입력시키면서 혼잣말로 중얼거렸다.

아아, 그렇군.

그는 새삼스럽게 생각난 듯 머리를 끄덕였다.

오늘이 재의 수요일이로군. 그렇다면 오늘부터 사순절이 시작되는군. 사순절이라면 문자 그대로 40일을 가리키는 단어로 오늘부터 예수의 부활에 이르기까지의 수난 기간인 것이다. 원래 40일이란 숫자는 예수가 공생활을 시작하기 전 광야에서 40일간 단식하며 기도했던 데서 비롯된 것인데, 이 사순절 기간에 가톨릭 신자들은 누구나 이미 받은 세례를 다시 상기하며 참회 행위와 죄를 고백하는 고해 성사를 통해 예수의 죽음과 부활의 신비에 참여해야 하는 의무를 갖게 되어 있다.

순간 그는 오늘이 재의 수요일임을 모르고 자신이 학교 동료들과 퇴근길에 간단히 고기를 구워 먹으며 소주를 곁들여 마신 사실을 떠올렸다. 특히 사순절이 시작되는 재의 수요일에는 엄숙히 단식해야 할 뿐 아니라 고기를 먹지 않는 금육(禁肉)의 의무를 반드시 지켜야 하는 것이 신자들의 규정이었으므로 그는 마음이 뜨끔하였다.

"됐습니다."

여직원이 모든 사무를 끝낸 듯 그를 쳐다보며 말하였다. 그는 사무실을 나왔다. 성당 밖으로 나와서 잠시 쉬도록 만들어놓은 나무 의자에 앉았다. 먼젓번 성당의 사무원은 교적을 떼어서 새로 옮기는 성당으로 본인이 직접 찾아가지 않아도 이쪽에서 우송해드릴 테니 신경 쓰지 말라고 하였지만 그가 굳이 직접 교적을 떼어서 성당의 사무실로 가져온 것은 새로 이사 간 구역의 성당을 직접 찾아가 눈으로 보고 싶은 생각 때문이었다. 성당은 의외로 새로 이사 간 집에서 가까운 거리에 있었다. 걷기에는 좀 멀고 차를 타기에는 가까운 거리였지만 먼젓번 성당과는 비교가 되지 않을 만큼 인접한 곳이었다. 우선 규모가 작고 아담한 느낌이 드는 것이 마음에 들었다. 먼젓번 성당은 대규모 아파트 단지 속에 자리 잡고 있기 때문인지는 몰라도 신자 수만 해도 만 명이 넘을 정도로 큰 성당이었다. 그는 10년이 넘도록 그 성당을 다니고 있었지만 때마다 바뀌는 신부들 말고는 성당에서 따로 사귄 사람이 거의 없었다. 신자 수도 너무나 많고 특별히 봉사 활동을 하지 않는 한 누가 누군지 알 수가 없을 만큼 거대한 성당이었기 때문이다.

그러나 새로 이사 온 구역에 소속된 성당은 그에 비하면 반도 되지 않을 정도로 규모가 작고 아담하였다. 그러나 규모가 작은 대신 터는 넓어 곳곳에 녹지가 마련되어 있었고 화단이 조성되어 있었다. 아직 2월 하순이라 봄이 오지 않았으므로 나무들은 헐벗고 며칠 전에는 함박눈까지 내렸으므로 그늘진 곳에는 잔설이 남아 있었다.

그는 담배를 피워 물었다.

미사 시간이 가까워오자 더 많은 사람들이 종종걸음으로 다가와 성당 안으로 들어서고 있었다. 재의 수요일은 평소 때의 미사와는 달리 특별한 날이다. 이날 모든 신자들은 반드시 미사 시간에 참석해야 하는 의무를 갖고 있는 것이다. 이날에는 1년 전 지난해에 축성했던 종려나무들의 가지들을 한데 모아 불에 태워 만든 재를 신자들의 이마 위에 십자 모양으로 바르며 신부들은 이렇게 말한다.

"사람은 흙에서 왔으니 흙으로 돌아갈 것을 생각하십시오."

그는 몇 모금 피우지 않은 담배를 쓰레기통에 버리고 일어섰다. 이렇게 된 이상 미사에 참석하는 것이 마땅하다고 생각했다. 그는 계단을 통해 2층으로 올라갔다. 몇 잔 마신 소주가 마음에 걸렸지만 그것이 미사와는 아무런 상관이 없을 것이라는 낙관적인 생각으로 그는 성당으로 들어가 성수를 손가락에 찍어 성호를 그은 후 맨 뒷자리에 앉았다. 이미 성당 안은 신자들로 가득 차 있었다. 그가 앉자마자 미사는 시작되었다. 그렇게 해서 그에게는 전혀 생각지도 않게 우연히 악몽의 고통이 시작되었다.

2

그는 우연이긴 하지만 사순절이 시작되는 재의 수요일 첫날 새로 이사 온 성당에서 첫 미사를 갖게 된 것은 참으로 다행이라고 생각하고 있었다. 성가대의 노랫소리가 아주 가깝게 머리 위에서부터 울려 퍼지고 있었다. 그리고 또한 신부의 모습이 눈길을 끌었다. 한 예순쯤 되었을까 반백의 신부는 놀랍게도 외국인 신부였다. 그러나 유창하게 한국 말을 하고 있었다. 예전에는 교구 신부를 더러 외국인들이 맡아 하고 있었지만 요즘에는 대부분 우리나라 신부들이 맡는 것이 보통이었으므로 미사를 집전하는 주임 신부가 외국인이라는 사실이 우선 신기했다.

마침내 재의 수요일 미사의 하이라이트인 이마 위에 재를 바르는 순서가 시작되었다. 그는 맨 뒷자리에 앉아 있었으므로 차례가 오기를 기다리면서 이번 부활절까지의 40일 동안 무엇을 결심할 것인가를 잠시 생각해보았다. 4, 5년 전쯤인가 그는 이 기간 동안 금연을 결심하였으며 스스로가 기특하리만치 40일 동안 금연에 성공하였었다. 그리고 한 1년 정도 내처 담배를 끊었던 적이 있었는데 그러나 결과적으로 담배를 다시 시작한 것을 보면 굳이 공연히 결심하여 심약한 자신의 약점을 확인하기보다는 차라리 40일 동안 술을 절제하거나 학생들에게 될 수 있는 대로 화를 내지 않는 작은 미덕을 실천하는 편이 훨씬 현명한 일이라는 생각이 들었다.

이런저런 생각을 하고 있는 동안 차례가 되어 그는 일어섰다. 제대 앞쪽의 신부 앞으로 걸어가는 동안 그는 마음속으로 결심했다.

그래, 이번 사순절 동안에는 될 수 있는 대로 술을 삼갈 것. 그리고 될 수 있는 대로 남에게 화를 내지 않을 것을 실행할 것.

차례가 되었을 때 신부는 불에 태워 만든 재를 그의 이마 위에 십자가 모양으로 바르고 이렇게 말하였다.

"사람은 흙에서 왔으니 흙으로 돌아갈 것을 생각하십시오."

신부의 그 말은 창세기에 나오는 성경 구절이다. 뱀에게 속아 선악과를 따 먹고 난 뒤 하느님은 아담과 하와에게 이렇게 말하였다.

"너는 흙에서 나온 몸이니 흙으로 돌아가기까지 이마에 땀을 흘려야 낟알을 얻어먹으리라. 너는 먼지이니 먼지로 돌아갈 것이니라."

그러니까 하느님의 이 말은 인류의 조상인 아담과 하와를 에덴에서 추방할 때 마지막으로 남긴 말이었던 것이다.

그래, 그는 자리로 돌아와 맨 뒷자리에 앉으며 생각하였다.

우리는 흙에서 난 몸이니 흙으로 돌아간다. 우리는 먼지이니 먼지로 돌아갈 것이다. 언제였더라, 몇 년 전 오늘 먼젓번 성당에서는 신부가 그의 이마에 재를 바르며 이렇게 말하였었다.

"회개하고 복음을 믿으십시오."

이 말은 청년 예수가 처음으로 하느님의 복음을 전파하며 전도를 시작할 때 했던 그 첫 일성이었던 것이다. 그 말이 어떤 말이든, 낙원에서 추방할 때 하느님이 인류의 조상인 아담에게 하였던 "흙에서 난 몸이니 흙으로 돌아갈 것을 생각하십시오"의 말이든 혹은 청년 예수가 전도를 시작할 때 선포하였던 "회개하고 복음을 믿으십시오"의 첫번째 말이든, 그 어떤 말도 자신의 잘못과 죄를 뉘우치고 영원한 생명을 구하라는 장엄한 선언이며 바로 오늘이 예수의 수난과 십자가에 동참하는 그 첫번째 날임을 알리는 전언(傳言)인 것이다.

바로 성스러운 그 첫번째 날에 그에게는 소름 끼치는 악몽이 시작되었다. 그것도 가장 성스러운 장소인 성당 안에서 그는 악마의 실체와 마주치게 된 것이었다.

그렇다.

그가 소름 끼치는 악마와 첫번째 만난 그날 밤은 성스러운 부활절의 첫 출발을 알리는 재의 수요일이었던 것이다.

3

미사에 참여하였던 모든 신자들이 종려나무 가지를 불에 태워 만든 재를 이마에 바르는 예절이 끝나자 곧바로 미사가 이어졌다.

그는 미사 중에서도 하느님과 인간을 화해시키기 위해서 자신을 우리들 죄악에 제물로 바친 예수가 몸과 피를 내어주는 최후의 만찬을 재연하는 예절을 특히 좋아하고 있었다.

신부가 빵의 상징인 성체를 들어 허공으로 한껏 치켜올린 후 "너희는 모두 이것을 받아먹어라. 이는 너희를 위해서 바치는 내 몸이니라" 하고 말하면 그는 항상 영혼의 허기를 느끼곤 했었다.

그는 항상 배가 고픈 사람이었다.

그것은 육체의 배고픔이 아니라 영혼의 배고픔이었다.

그는 항상 자신의 영혼이 굶주리고 목마르고 헐벗은 기아 상태에 머물러 있다고 생각하였다. 그러한 영혼의 공복 상태가 극대화되는 것은 일주일의 하루인 일요일날 미사 시간에 참여하였을 때였다. 그의 영혼은 극도로 지쳤으며 한껏 굶주리고 있었다. 그러할 때 "너희는 모두 이것을 받아먹어라"는 최후의 만찬에서 행한 예수의 말을 그대로 재연하여 따라 하는 신부의 목소리를 들으면 그는 우선 행복했다.

먹을 수 있는 영혼의 양식이 있다는 사실이 그는 행복했다. 아낌없이 자신의 몸을 내어주는 생명의 빵이 있다는 사실이 그는 행복했다.

신부는 다시 포도주가 들어 있는 성작(聖爵)을 들어올리며 말을 한다.

"너희는 모두 이것을 받아 마셔라. 이는 새롭고 영원한 계약을 맺는 내 피의 잔이니 너희와 모든 이의 죄의 사함을 위해서 흘리는 피니라."

그럴 때면 그는 어째서 그리스도의 몸을 상징하는 빵을 주면서 그리스도의 피를 상징하는 포도주는 주지 않는가 그것이 늘 못마땅하였다.

그의 굶주린 영혼은 그리스도의 몸만으로는 충분치 않았다. 그의 헐벗은 영혼은 그리스도의 성혈까지 받아먹어야 포만감을 느낄 수 있을 것 같았다. 마치 드라큘라 백작처럼. 밤마다 어두운 고성에서 뛰쳐나와 산 사람의 피를 빨아먹어야만 생명력을 얻는 흡혈귀(吸血鬼)처럼.

검은 미사를 올리는 악마 뱀파이어는 산 사람의 피를 빨아먹어야만 생명력을 얻지만 하느님을 믿는 그는 예수의 몸과 피를 함께 먹음으로써 영혼의 생명력을 얻는 것이다.

그래서 그는 신부의 성찬 의식이 끝나고 신자들이 영성체를 하기 위해서 하나씩 둘씩 일어날 때면 늘 가슴이 벅차오르고 정신적 공복감을 채울 수 있는 그리스도의 몸을 받아먹을 수 있다는 기쁨으로 어린애처럼 가슴이 뛰곤 했었다.

특히 새로 이사 와 처음 찾아온 새 성당에서 새로 만나는 새 신부의 집전에 의해서 거행되는 재의 수요일 밤 미사. 부활절이 시작되는 그 첫날 '흙에서 왔으니 흙으로 돌아갈 것을 생각하십시오'란 말과 함께 죽음을 생각하라는 재를 이마 위로 받은 후 처음으로 하는 첫 영성체였으므로 그는 가슴이 설레었다.

영성체가 시작되자 성가의 합창이 시작되었다. 그는 낮은 소리로 노래를 따라 부르기 시작하였다.

"주 예수 그리스도와 바꿀 수 없네

이 세상 모든 영예와 행복도

우리를 위하여 돌아가신 예수의 크옵신 사랑이여

세상 즐거움 다 버리고 세상 명예도 버렸네."

2층에 자리 잡은 성가대의 우렁찬 합창에도 불구하고 신자들은 한결같이 낮고 둔중한 목소리로 마지못해 하듯 노래를 따라 부르고 있었다. 신자들은 자기 순서가 오면 자리에서 일어나 열을 지어 제대 앞까지 걸어나가 영성체를 하고는 두 손을 모아 합장을 하고 제자리로 돌아오고 있었다.

영성체를 하고 돌아오는 사람들은 모두 머리 위에 새로운 촛불 하나를 켜들고 돌아오는 것처럼 환한 표정을 짓고 있었다. 싸늘하게 꺼졌던 영혼의 심지에 사람들은 새로운 촛불 하나씩을 붙여 들고 제자리로 돌아오는 것이다.

저 영성의 촛불들은 그러나 얼마 안 가서 곧 꺼져버리리라. 사는 것이 고달프고 언제나 세찬 바람이 불고 있으므로 저 연약한 촛불들은 성당을 나가는 순간 꺼져버릴지도 모른다. 그러나 꺼진 촛불들은 또다시 찾아오는 미사에 의해서 점화되어 또다시 타오르기 시작하는 것이다.

그는 차례가 되어 일어섰다.

될 수 있는 대로 신속하게 진행하기 위해서 아래층 성당을 두 편으로 나누어 행렬을 만들고 있었다. 그는 자신이 속해 있는 열이 어느 쪽인가 살펴보았다. 될 수 있는 대로 새 신부에게서 성체를 분배받고 싶은 어린애 같은 마음 때문이었다. 그러나 그가 서 있지 않은 다른 행렬이 새 신부에게서 성체를 받고 있었고 그가 선 줄은 성당의 사목위원으로 보이는 다른 사람에게서 성체를 분배받고 있었다.

줄이 짧아졌다.

그의 앞에는 서너 명밖에 남아 있지 않았다. 그는 성체를 향해 허리 굽혀 인사를 하였다.

"그리스도의 몸."

차례가 다가오자 성체를 받는 사람들의 목소리가 가까워졌다. 두 손으로 성체를 받고 대답하는 사람들의 목소리도 이어졌다.

"아멘."

그는 왼쪽 손바닥을 오른쪽 손바닥 위에 올려놓고 십자가 형태로 엇갈린 모습을 하고 자기의 차례를 기다렸다.

"그리스도의 몸."

그의 바로 앞에는 나이 많은 할머니가 서 있었다. 그녀는 두 손으로 성체를 손바닥 위에 올려놓은 후 마치 큰절을 하면서 인사를 하듯 대답하였다.

"아멘."

마침내 그의 차례가 되었다. 그는 미리 준비해놓은 십자가 형태의 두 손바닥을 조용히 내어밀었다.

짧은 순간 왼손으로 성반(聖盤)의 밑부분을 움켜쥔 제의를 입은 분배자의 모습이 한눈에 들어왔다. 성반은 성당의 천장에 매어달린 백열등의 불빛을 반사하며 눈부시게 빛나고 있었다. 분배자는 성반 속에서 동그란 원형의 성체를 손가락으로 집어내었다. 그는 그 성체를 짧게 허공 위에 치켜올리면서 말하였다.

"그 · 리 · 스 · 도의 몸."

그의 손바닥 위에 원형 성체가 가만히 올려졌다. 그리스도의 몸이 빵이 되어 그의 손바닥 위에 올려진 것이었다. 그는 고개를 숙이면서 대답하였다.

"아 · 멘."

그는 그 자리를 벗어나면서 성체를 입 안으로 밀어넣었다. 그는 그 순간을 가장 좋아했다. 스스로 살아 있는 빵이 되어 찾아오는 예수의 몸을 입 안에 받아먹는 그 순간이야말로 초자연적이며 신비로운 신앙의 세계에 참여하는 절대의 순간인 것이다.

따라서 입 안에 넣은 성체가 녹는 순간 그는 몸 안에서 내가 아닌 그리스도의 실체가 녹아 흘러가는 것 같은 기쁨을 느끼곤 했었다. 어떨 때는 바로 그 순간 가슴이 뜨거워지고 눈물이 왈칵 솟아오르는 것을 느끼기도 했었다.

그는 입 안에 넣은 성체가 서서히 녹는 것을 느끼며 두 손을 모아 합장하고 천천히 자신의 자리로 돌아오고 있었다.

그러나 바로 그 순간.

그는 온몸에 소름이 돋아오르며 전율이 흐르는 것을 느꼈다. 어째서일까. 주님의 몸인 성체를 받아먹는 바로 그 절대의 순간 어째서 알 수 없는 공포와 두려움의 전율이 온몸을 스쳐 지나가는 것일까.

그는 토할 것 같았다. 그는 실제로 욕지기를 느꼈다. 그래서 하마터면 입 안에서 겨우 녹아버린 성체를 토해버릴 뻔하였다. 그는 입을 악물고 간신히 참아내면서 제자리로 돌아왔다.

그는 제정신이 아니었다.

그를 마지막으로 성체 분배가 다 끝났으므로 신부가 성작과 성반을 깨끗이 닦고 남은 성체들을 정리하느라고 짧은 묵상 시간이 찾아왔다. 성가도 끝났으므로 모든 신자들은 눈을 감고 온 성당은 깊은 정적에 잠겨 있었다.

그러나 갑자기 심장이 터질 것 같은 발작을 느꼈다. 그는 헐떡이며 자신의 가슴을 부여잡았다. 이럴 수가 있는가.

그는 헐떡이며 생각하였다.

새 성당에서 첫 기쁨의 영성체를 한 바로 직후에 어떻게 이런 일이 내게 생길 수 있는 것인가. 그러나 그는 도저히 견딜 수가 없었다. 그래서 그는 제자리에서 벌떡 일어섰다. 가만히 앉아 있다가는 그 자리에서 그대로 토해버릴 것 같은 공포심 때문에.

그는 비틀거리면서 성당을 나왔다.

그러나 처음 찾아온 성당이었으므로 어디가 어딘지 방향을 알 수가 없었다. 그는 계단을 내려갔다. 마침 미사 시간이었으므로 뜨락도 텅 비어 있어 물어볼 사람조차 없었다. 성당 앞 뜨락에는 성모 마리아가 아기 예수를 안고 서 있었다.

자칫하면 그곳에다 오물을 토해낼 것 같아 그는 욕지기를 간신히 억제하면서 자신이 미사 시간 전에 들렀던 사무실 쪽으로 걸어가기 시작하였다.

사무실 쪽으로 걸어 내려가자 화장실을 알리는 알림판이 눈에 띄었다. 그는 서둘러 화장실 안으로 들어가 변기의 뚜껑을 열어 젖히고 목을 꺾었다.

그는 참았던 욕지기가 새삼 솟아오르는 것을 느끼며 토하기 시작하였다. 오늘이 재의 수요일인지도 모르고 퇴근길에 간단하게 학교 동료들과 고기를 구워 먹으며 소주를 곁들였던 기억을 새삼스레 떠올렸다. 사순절이 시작되는 재의 수요일에는 엄격하게 단식해야 할 뿐 아니라 고기를 먹지 않는 금육의 규정을 반드시 지켜야 하는 신자들의 의무를 어긴 탓일까, 그 규정을 깨뜨린 죄를 저지르고도 그리스도의 성체를 모심으로써 신성을 모독하였기 때문에 이런 불상사가 생겨난 것일까.

그는 고통스럽게 토하면서 생각하였다.

아니다.

그런 것은 지나치게 율법주의적이다. 실제로 그가 어렸을 때 성당에서는 성체를 모시는 일을 여러 가지 까다로운 일로 금기하고 있었다. 가령 미사 한 시간 전에는 아무것도 먹어서는 안 되는 공복 상태를 유지해야만 하며 가능하면 물도 마셔서는 안 된다. 그것을 어겼을 때는 신성 모독이 되는 것이다. 그것을 강요하기 위해서 신부는 만약 그것을 무시할 경우에는 실제로 입 안에서 성체가 붉은 피로 변해버린다는 사실을 강조하기도 했었다. 한때 신부의 그 말은 그에게 충격으로 다가왔다. 죄를 짓고서도 그것을 신부에게 고백하여 용서받지 않고 성체를 영하거나 미사 시간 전에 무엇을 먹은 상태에서 성체를 함께 먹으면 입 안에서 성체가 붉은 피로 변해버린다는 신부님의 말은 어린 그에게 공포였던 것이다.

그러나 그것은 어디까지나 미신에 지나지 않는다.

몇 모금 토하지 않고 곧 구토감은 사라졌다. 그는 변기의 물을 내리고 밖으로 나와 손을 닦으며 생각하였다.

무엇이 내게 구토감을 느끼게 했던 것일까. 어찌하여 내가 제일 좋아하는 영혼의 양식인 성체를 모신 바로 직후에 참을 수 없는 욕지기가 솟아오르고 마침내 그 발작과 같은 구토감을 견디지 못하고 뛰쳐나와 화장실에서 실제로 토하기까지 했던 것일까.

그는 손을 씻으며 무심코 거울에 비친 자신의 얼굴을 쳐다보았다. 순간 그는 자신의 얼굴에서 섬뜩한 느낌을 받았다.

거울 속에는 창백하고 하얗게 질린 한 사내의 얼굴이 떠올라 있었다. 간신히 두려움과 공포에서 도망쳐나온 사람의 얼굴이었다. 뭔가 알 수 없는 악령의 집에서 필사적으로 탈출한 사람의 절박함이 거울에 비친 그의 얼굴에 묻어 있었다.

아니다.

그는 세차게 머리를 흔들면서 혼란한 심리 상태를 스스로 달래기 위해서 소리내어 혼잣말을 하였다.

너무 예민해질 필요는 없다. 이것은 다만 우연에 불과하다. 어쩌면 직장 동료들과 함께 마신 술과 음식이 신선도가 떨어지는 부패한 음식이었을지도 모른다. 그래서 갑자기 위장 장애가 일어난 것뿐이다.

그때였다.

저녁 미사가 끝났는지 웅성이는 사람들의 발소리가 들려오고 텅 비어 있던 화장실로 사람들이 쏟아져 들어오고 있었다.

그는 주머니에서 손수건을 꺼내 젖은 손을 닦으며 화장실을 나왔다. 미사를 끝낸 사람들은 아는 사람을 만나면 서로 인사를 나누거나 악수를 하면서 뿔뿔이 흩어져 가고 있었다. 그들을 맞기 위해서 미사를 집전했던 주임 신부가 성당 뜰 앞 한가운데 서서 흩어져 가는 신자들과 일일이 작별 인사를 하고 있었다.

그는 잠시 망설였다.

어차피 새로 이사 온 성당이므로 언젠가는 주임 신부와 상견례를 하고 인사를 나누어야 할 것이다. 그러나 오늘은 별로 첫인사를 나누고 싶은 생각이 없다. 첫 미사에서 지금껏 한 번도 경험해본 적이 없는 충격적인 고통을 겪었으므로 그런 혼란한 마음 상태에서 새 신부와 인사를 나누고 싶지는 않다고 그는 생각했다.

그래서 그는 도망치듯 발길을 돌려 성당을 빠져나왔다.

그러나 그것은 악몽의 시작에 불과하였다. 결코 우연이 아니었으며 그에게 있어서 그것은 다만 고통의 시작일 뿐이었다. 성경에 나오듯 해가 어두워지고, 달은 빛을 잃을 것이며, 별들도 하늘에서 떨어져 모든 천체가 흔들리는 무서운 재난의 시작에 불과하였던 것이다.

그렇다. 이 모든 재난은 재의 수요일에 시작되었다.

4

알 수 없는 어둠 속에 그는 서 있었다. 그의 앞에는 많은 사람들이 서 있었다. 끝도 없이 행렬이 이어지고 있었다. 그는 그 행렬 뒤에 서서 차례를 기다리고 있었다. 머리 위에서는 끊임없이 무엇인가가 날아다니고 있었다. 이따금 실체가 보이기도 했는데 그것은 커다란 날개의 새였다. 그 새는 끊임없이 사람들의 머리를 날카로운 부리로 쪼아 먹고 있었다. 그럴 때마다 여기저기서 사람들의 비명이 끊임없이 이어지고 있었다. 그의 머리 위에서 날카로운 새의 부리가 송곳처럼 내리박혔다. 그는 비명을 지르면서 두 손으로 머리를 감싸쥐었다. 참을 수 없는 고통으로 비명을 질렀지만 소리는 입 밖으로 터져 흐르지 않았다. 마치 노르웨이의 화가 뭉크의 그림 「절규」처럼 그는 두 손으로 얼굴을 감싸쥐고 입을 크게 벌리고 소리를 지르며 외치고 있었지만 비명은 입 밖으로 새어나오지 않았다. 그럼에도 불구하고 그는 도망칠 수가 없었다. 그의 두 손은 단단하게 묶여 있었고 그의 두 발 역시 무거운 쇠사슬로 묶여 있었는데 그 쇠사슬은 다른 사람의 쇠사슬과 연결되어 있었다.

어둠 속에서 쇠사슬이 끌리는 금속성이 선명하게 들려오고 있었다.

그 순간 그는 찬란한 빛을 보았다. 그제야 그는 그 빛을 향해 차례를 기다리면서 자신이 앞으로 나아가고 있음을 알았다. 뭔가 불확실한 소리가 그 빛 속에서부터 들려오고 있었다. 그는 그 소리에 귀를 기울였다.

"그리스도의 몸."

그는 선명하게 들었다. 울림이 있는 그 목소리는 성체를 분배하는 검은 어둠 속에서부터 들려오고 있었다. 그제야 그는 생각했다. 이제야 나는 살 수 있다. 저 성체를 받아먹는 순간 나는 이 쇠사슬의 노예와 머리 위를 날아다니면서 머리를 쪼아대고 있는 저 검은 익룡(翼龍)의 습격에서부터 벗어날 수 있는 것이다.

"그리스도의 몸."

마침내 차례가 되었을 때 그는 결박 지은 두 손을 어둠을 향해 내어밀었다. 그때였다. 갑자기 누군가 성체를 받으려는 그의 두 손을 잡아 비틀었다. 그의 몸은 허공으로 떠올랐다. 그 순간 '껄 껄 껄 껄'거리는 악마의 웃음 소리가 들려왔다.

"살려줘" 하고 그는 소리쳤다.

순간 그는 잠에서 깨어났다. 누군가 그의 몸을 흔들고 있었다. 그는 눈을 떴다.

"웬일이세요."

눈앞에 아내가 근심스런 얼굴로 서 있었다.

"얼마나 소리를 지르던지요. 온 집안이 다 떠나가는 줄 알았어요."

그의 온몸은 악몽에 시달리느라 온통 땀에 젖어 있었고 그는 그 극심한 고통에 자신이 아직도 잠에서 깨어났다는 현실감을 느끼지 못하고 있었다.

"나 물 좀 줘요."

그는 헐떡이며 말을 하였다. 물을 가지러 아내가 방을 나간 사이에 그는 시계를 보았다. 새벽 2시 반이었다.

"어떻게 된 거예요?"

아내가 걱정스런 목소리로 찬 물컵을 내어밀면서 말하였다.

"……악몽을 꾸었어."

물컵과 함께 수건을 가져온 아내가 그의 얼굴과 온몸에 맺힌 땀을 닦아주면서 말하였다.

"지난 몇 년 동안 악몽을 꾸지는 않았잖아요."

아내는 알고 있었다.

악몽은 그의 오래된 지병(持病)임을. 단 하루도 그 악몽에서 벗어난 적이 없었다. 아내와 잠을 잘 때 각방을 쓰는 습관은 그 때부터 비롯된 것이었다. 잠들 때마다 악몽을 꾸는 당사자인 그보다도 옆에서 자는 그의 아내가 더 밤을 무서워하고 두려워했기 때문이었다.

십몇 년 동안 악몽은 그의 지병이었으므로 당사자인 그는 오히려 악몽을 피하려는 생각 없이 있는 그대로 받아들이고 있었다. 그러나 아내는 달랐다.

그는 결혼한 지 얼마 안 되어 아내가 심각한 불면증에 걸린 것을 알았다.

밤은 그들에게 있어 고문이자 형벌이었다. 아내를 위해서 그는 어쩔 수 없이 무리를 해서라도 방 두 칸이 있는 전셋집을 얻을 수밖에 없었다.

지난 몇 년 동안 그 악몽이 신기하게도 씻은 듯이 사라지고 없었다. 병원에 가서 심리 치료라도 받아보기를 원했던 아내는 그가 악몽을 떨쳐버리자 누구보다 기뻐했다. 그런데 그 악몽이 또다시 재발된 것이다.

"……어떻게 된 거예요. 또다시 비명을 지르다니요."

두려움에 가득 찬 얼굴로 아내가 말하였다.

"모 모르겠어."

그는 헐떡이면서 대답하였다.

"어떻게 된 일인지 나도 모 모르겠어. 왜 또다시 악몽이 시작된 것인지."

5

사순절의 첫날인 재의 수요일에 일어났던 불가사의한 현상에 대해서 누구보다 불안했던 사람은 바로 그 자신이었다.

일요일이 오기까지의 목, 금, 토요일 사흘 간을 그는 강박관념 속에서 보냈다. 그는 자신에게 일어났던 이상한 일들을 처음에서부터 끝까지 마치 결정적인 장면을 느린 속도로 다시 보여주는 스포츠 중계방송처럼 되풀이해서 떠올려보곤 했었다.

다소 늦게 미사에 참석해서 맨 뒷좌석에 앉았던 자신의 모습에서부터 이마 위에 성지 가지를 태운 재를 십자가 모양으로 바르던 신부님의 손끝의 감촉.

그때 신부님은 이렇게 말하였었다.

"사람은 흙에서 왔으니 흙으로 돌아갈 것을 생각하십시오."

그러고 나서 성찬의 예식이 시작되었었다. 그때까지는 아무런 이상도 없었으며 불길한 예감 같은 것도 느껴지지 않았었다. 뭔가 이상한 일이 시작된 것은 영성체 시간이 막 시작되었을 때였다. 그때 들려오던 성가는 무슨 노래였던가. 아, 아, 기억난다.

"주 예수 그리스도와 바꿀 수는 없네. 이 세상 모든 영예와 행복도……"

그는 맨 뒷좌석에 앉아 있었으므로 차례가 올 때까지 그 성가를 낮은 목소리로 따라 불렀던 것을 기억한다. 그때까지도 이상한 전조 같은 것은 전혀 없었다. 이윽고 차례가 되어 신자들이 일어서자 그는 따라 일어섰다. 이제야 생각난다. 될 수 있는 대로 주임 신부가 성체를 분배하고 있는 행렬 뒤에 서고 싶어서 잠시 행렬을 옮길까 망설였던 사실을. 그러나 그는 곧 마음을 바꾸어 그 줄을 지키고 서 있었다. 그때까지도 아무런 조짐이 없었다. 줄은 점점 짧아지고 있었지. 그의 앞에는 서너 명밖에 남아 있지 않았지.

"그리스도의 몸."

성체를 분배하는 사목위원의 목소리가 들려왔었지. 그러자 성체를 손바닥 위에 받으며 "아멘" 하고 대답하는 신자들의 목소리도 들려왔었어. 차례가 가까워오자 그는 성체를 향해 고개 숙여 인사를 했었지. 그러고 나서 그는 왼쪽 손바닥을 오른쪽 손바닥 위에 올려놓고 십자가 형태로 엇갈린 모습을 하고 차례를 기다렸었다. 그의 바로 앞에는 할머니 한 사람이 서 있었다. 할머니는 머리 위에 흰색 미사포를 쓰고 있었다. 아주 키가 작은 할머니였어. 할머니는 손바닥 위에 올려놓은 성체를 자신의 입 속으로 가져가면서 "아멘" 하고 대답하였지. 그때까지도 아무런 징조도 없었다. 모든 것은 무사 무사하였었다. 마침내 그의 차례가 되었었지.

그는 미리 준비해둔 십자가 형태의 두 손바닥을 조용히 내밀었었다.

아, 아, 기억난다. 짧은 순간 왼손으로 성반의 밑부분을 움켜쥔 장백의를 입은 분배자의 모습이 한눈에 들어왔었다. 아, 아, 바로 그 순간 그는 성당 천장에 매어달린 백열등이 성반의 금속 부분에 반사되어 찬란한 황금빛으로 빛나고 있었음을 똑똑히 보았었다. 분배자는 오른손을 성반 속에 넣어서 동그란 원형의 성체를 손가락으로 집어내었었다. 그는 그 성체를 짧게 허공 위에 치켜올렸었다. 그러고 나서 이렇게 말하였었지.

"그 · 리 · 스 · 도의 몸."

그때 그는 분명히 보았었다. 손바닥 위에 놓인 원형 성체를.

'아 · 멘' 하고 대답하고 그 성체를 입 안에 밀어넣었을 때 그는 혀끝에서 부드럽게 녹아드는 성체로부터 풍겨오는 희미한 밀떡의 냄새 같은 것도 선명히 기억할 수 있었다.

그러나 바로 그 순간 그는 온몸에 소름이 돋아오르는 것과 같은 공포와 전율을 느꼈으며 격렬한 욕지기를 느꼈던 것이었다.

그렇다면 무엇이 새로 이사 간 성당에서의 첫 영성체의 기쁨을 일순간에 불가사의한 공포로 바꾸었던 것일까.

왜 그리스도의 몸을 상징하는 거룩한 성체가 그에게 견딜 수 없는 구토감을 불러일으켰던 것일까. 아니다. 그것 역시 불가능한 일인 것이다. 그렇다면 무엇일까. 무엇이 그의 입 안에서 거룩한 성체를 토해낼 만큼 심리적 충격을 일으킨 것일까. 어쩌면, 그것은 심리적인 이유 때문일지도 모른다. 어렸을 때부터 그는 먹기 싫은 것을 강제로 먹이면 토하는 버릇이 있었다. 편식하는 습성이 있었으므로 병약했던 그에게 어머니는 무엇이든 자꾸 먹이려 했었다. 그러나 먹기 싫은 것을 먹으면 그는 버릇처럼 토하곤 했었다. 특히 고기를 먹으면 그러하였다. 어릴 때 우연히 닭을 잡는 모습을 본 뒤부터 살아 있는 동물을 죽인 고기를 먹을 때면 그는 본능적으로 거부감을 느꼈기 때문이었다. 그러나 그의 그런 구토 증상은 초등학교 고학년이 되자 씻은 듯이 사라졌었다. 그렇다면 그날 저녁 미사에서 욕지기를 느낀 것은 어린 시절의 그런 습성이 잠재되어 있다가 어느 순간 재발되어 나타난 것 때문이 아니었던가. 성당에서의 어떤 장면이, 냄새가, 분위기가 그의 잠재되었던 기억에 충격을 주어 그의 공포감에 점화를 일으키고 그를 악몽 속으로 몰아넣은 것이 아닐까. 그렇다면 그 발작적인 공포의 원인은 과연 무엇이었을까.

그는 초조하게 생각하면서 목요일과 금요일 그리고 토요일을 보냈다. 마치 엉망으로 술을 마신 술꾼이 그 다음날 어느 한 순간에 기억의 필름이 끊긴 그 정신의 공백 상태 중에 도대체 무슨 일이 있었던가를 추리해보듯 계속해서 재의 수요일 저녁 미사에서 있었던 그 불가사의한 기억을 재현해보고 있었던 것이다. 그러다가 그는 결론을 내렸다.

그렇다.

다가오는 일요일, 그는 똑같은 시간대인 저녁 미사 때 아내와 참석해서 먼젓번 앉았던 바로 그 자리에 앉을 것이다. 그리고 재의 수요일 저녁 미사와 똑같은 순서를 밟아가며 미사에 참석할 것이다. 마치 생사를 건 건곤일척의 바둑 승부를 벌인 두 기사가 승부를 끝낸 후 또다시 바둑판 위에 돌을 놓으며 어디가 실착이고 어디가 패착이었던가를 복기해보듯 그 역시 똑같은 미사의 절차를 밟아가면서 자신에게 느닷없이 찾아온 악령의 실체가 무엇인가를 날카롭게 살펴볼 것이다.

6

다음 일요일은 '사순제 1주일'이었다. 그는 저녁 미사에 아내와 함께 참석하였다. 평일 미사와 같은 시간대인 오후 7시에 저녁 미사가 시작되고 있었다. 아내는 낮 미사를 가고 싶어했으나 그는 굳이 저녁 미사를 고집하였다. 그러나 그 이유는 아내에게 말하지 않았다. 먼 거리이기는 하지만 아내와 그는 산보 겸 성당까지 걸어갔다. 20여 분이 걸리는 다소 먼 길이긴 했지만 아내는 신시가지인 성당으로 가는 길을 좋아했다. 아내는 다정스레 그의 팔짱을 꼈다.

아내는 새로 이사 간 아파트를 마음에 들어했다. 그도 그럴 것이 평수를 제법 늘려서 온 이사였으므로 아내는 새집에 대해 자부심을 느끼고 있었다.

2월 하순이었지만 날씨는 포근해서 봄날 같았다. 새로 다니게 된 성당을 보자 아내는 어린애처럼 기뻐하였다.

"먼젓번 성당보다 작고 아담해서 마음에 들어요."

시간이 애매해서 한 시간 일찍 출발했으므로 성당에 도착했을 때는 아직 미사 시간까지 30분 정도 남아 있었다. 아내는 성당 뜨락에 서 있는 아기 예수를 안고 있는 성모상 앞에 가서 오랫동안 기도하였다. 그는 아내가 무엇을 기도하고 있는가를 짐작하고 있었다.

아내는 아이를 낳지 못한다. 임신할 수 없는 몸이라는 사실을 알면서도 아내는 성모상 앞에 서면 마리아가 안고 있는 예수를 닮은 아이를 자기도 가질 수 있는 기적을 베풀어달라고 기도를 하고 있는 것일까. 설혹 기적이 일어난다 해도 이미 두 사람은 결혼한 지 10여 년이 지났고 아내 역시 아이를 낳기에는 너무 나이가 들어 있었다.

마리아 상 앞에서 기도가 끝나기를 기다려 두 사람은 성당 안으로 들어섰다. 나란히 성수를 찍어 십자가 성호를 긋고 나서 당연히 아내는 앞의 빈자리로 나아가려 했지만 그는 먼저 앉았던 맨 뒷좌석의 바로 그 자리에 앉았다. 아내는 영문을 모르면서도 그의 옆자리에 앉았다.

그는 성당의 제대 쪽을 바라보았다. 그는 어딘가에서 결정적인 증거를 확보하려는 형사처럼 성당의 모든 물건들을 하나하나 눈여겨 살펴보기 시작하였다. 성당의 정면으로 거대한 십자가가 내걸려 있었고 십자가 위에는 청동으로 만든 예수의 형상이 매어달려 있었다. 예수 머리 위에는 가시관이 씌워져 있었고 그 얼굴은 고통으로 일그러져 있었다. 두 손과 두 발에는 거대한 못이 내리박혀 있었는데 그 못 자국에서 피가 흘러내리고 있었다. 사실적인 조각이 아니면서도 섬세하게 묘사된 인상적인 조형물이었다. 예수의 머리 위에는 비둘기의 형상으로 내려오는 성령의 상징이 부조되어 있었다. 그 십자고상(十字苦像) 바로 밑에 성체를 넣어두는 보관함이 마련되어 있었고 그 보관함 위에는 붉은 표시등이 켜져 있었다. 제대 위에는 촛불 두 개가 켜져 있었으며 아름다운 꽃들로 치장되어 있었다. 한껏 솜씨를 부려 꽃꽂이를 한 꽃바구니들이 좌우 대칭의 똑같은 모습으로 제단을 가득 메우고 있었다.

주의 깊게 살펴보았으나 그 어디에도 그를 발작적인 공포로 몰아넣은 악의 표징은 엿보이지 않았다.

그렇다면 그날의 그 사건과 그날 밤의 악몽은 단순히 우연이었을까. 아니다. 그는 강하게 머리를 흔들며 부정하였다.

그것은 우연이 아니다.

틀림없이 있다. 무엇인가 그의 영혼을 사로잡은 악령의 실체가 바로 이 거룩한 성당 안에 실재하고 있는 것이다.

그의 예상은 적중하였다.

그날 저녁 미사에서 그는 자신을 불가사의한 고통으로 몰아넣은 그 악령의 정체가 무엇인가를 분명하게 밝혀낸 것이었다.

이윽고 저녁 미사가 시작되었다. 사람들은 성가를 부르기 시작하였고 낯익은 외국인 신부는 노래가 끝날 무렵 어린 복사를 대동하고 제단 뒤쪽 출입구에서 나타났다. 신부는 유창한 한국말로 미사를 집전하기 시작하였다.

미사 양식은 언제 어디서나 똑같은 형식으로 진행되었으므로 새삼스러울 것은 없었으나 그는 줄곧 긴장을 늦추지 않고 모든 상황을 날카롭게 지켜보고 있었다. 그는 기도에 몰입할 수 없었다. 긴장하고 있는 이상 그것은 어쩔 수 없는 일이었다.

'사순제 1주일'의 성서 말씀은 마태오복음 4장 1절에서 11절까지의 구절이었다.

세례를 받고 나서 예수가 광야로 나아가서 악마의 유혹을 받는 장면이었다. 40일을 단식하고 났을 때 악마는 예수에게 돌을 가지고 빵이 되게 해보라는 유혹과 성전 꼭대기에서 뛰어내려보라는 유혹과 아주 높은 산으로 가서 이 세상의 모든 나라와 그 화려한 모습을 보여주며 "당신이 내 앞에 절하면 이 모든 것을 당신에게 주겠다"는 세번째 유혹을 하자 예수가 이를 단호히 물리치는 장면이었다.

신부가 이 성경 구절을 봉독(奉讀)할 때 그는 온몸에서 전율이 흐르는 것을 느꼈다.

우연의 일치인지는 몰라도 공교롭게도 자신의 영혼을 불가사의한 고통으로 사로잡은 악령의 실체가 무엇인가를 밝혀내기 위해서 참석한 사순제 1주일의 성경 말씀이 예수와 악마가 서로 싸우는 장면이라니.

신부는 유창한 우리말로 성서의 내용을 강론하기 시작하였다.

하느님의 아들인 예수를 유혹하듯 악마는 분명히 실재한다. 그럼에도 불구하고 사람들은 악마를 존재하지 않는 상징으로만 생각하고 있다. 악마가 할 수 있는 최고의 유혹은 자신이 존재하지 않는다는 사실 그 자체로 유혹하는 것이다. 그런 내용의 짧은 강론을 끝내고 나서 신부는 이렇게 말을 하는 것으로 결론을 내렸다.

"바로 이곳에 하느님이 계시듯 바로 이곳에 악마 또한 존재합니다."

신부의 결론은 그의 가슴을 향해 내리치는 못과 같았다. 그는 또다시 전율을 느꼈다.

그렇다.

이곳엔 분명히 무엇인가 있다. 그리스도의 몸인 거룩한 성체를 영하는 바로 그 절대의 순간에 발작적인 구토감을 일으켜 그 성체를 토하게 한 불가사의한 존재. 오랫동안 사라져버렸던 악몽의 고통을 재발시킨 악마의 존재가 신부의 말처럼 바로 이곳에 존재하고 있는 것이다.

다시 성찬의 예식이 진행되었다. 그는 더욱 긴장되었다.

"왜 그래요? 여보."

곁에 앉은 아내가 주위를 의식하여 낮은 목소리로 물었다. 아마도 얼굴에서 흘러내리는 땀을 손수건으로 닦아내리는 모습에서 아내는 뭔가 이상한 낌새를 느낀 모양이었다. 실내는 난방 장치가 잘되어 있어 따뜻했지만 그렇다고 땀을 흘릴 만큼 더운 온도가 아니었으므로 연신 흘러내리는 땀을 수건으로 닦는 그의 태도에서 눈치 빠른 아내가 뭔가 이상하다는 느낌을 받은 모양이었다.

"아니야."

그는 헐떡이면서 대답하였다.

"아무것도 아니야."

신부는 성찬식을 진행하고 있었다. 예수가 최후의 만찬 때 행한 말을 상기시키며 빵과 포도주를 봉헌할 때마다 그는 언제나 영혼의 배고픔과 영혼의 갈증을 느끼고 있었지만 오늘은 아무것도 느낄 수가 없었다.

그는 기계적으로 주의 기도를 외웠으며 평화의 기도를 나누었다. 신부가 "서로 평화의 축복을 나누십시오" 하고 말하자 그는 아내의 얼굴을 마주 보며 "평화를 빕니다"라고 인사하는 것을 시작으로 앞쪽에 앉은 사람들과 다른 쪽의 신자들과도 평화의 인사를 나누었다. 그러나 그의 얼굴에는 미소가 떠오르지 않았다. 그의 얼굴은 창백하게 질려 있었으며 극심한 고통을 참고 있는 중환자처럼 보였다.

"왜 그래요. 여보."

여전히 이상하다는 듯 아내가 숨죽여 말하였다.

"얼굴이 하얗게 질렸어요."

"괜찮아."

그는 다시 수건으로 이마에서 흘러내리는 땀을 닦았다. 수건은 물에 헹군 것처럼 젖어 있었다. 신자들은 전번 미사 때와 마찬가지로 좌석 전체를 둘로 나누어 열을 지어서 영성체를 하고 있었다. 여전히 다른 행렬은 주임 신부에게 성체를 영하고 있었고, 그가 속한 행렬은 사목위원이 분배하는 성체를 영하고 있었다.

신자들은 차례차례 일어서서 행렬을 따라 앞으로 나아가 성체를 받아먹고는 제자리로 돌아오고 있었다. 그는 맨 뒷좌석에 앉아 있었으므로 성가대의 특송이 끝날 때까지 차례가 오지 않았다. 다시 신자들의 합창이 시작되었다. 아내는 낮은 목소리로 노래를 따라 부르고 있었지만 그는 침묵을 지키며 앉아 있었다.

마침내 차례가 되자 그는 일어섰다. 그의 바로 앞에는 미사포를 쓴 아내가 섰고, 그는 행렬의 맨 마지막 사람이었다. 그는 두 손으로 합장을 하고 천천히 제대 앞으로 걸어나갔다.

한눈에 성당 안의 모든 풍경이 들어오고 있었다.

성체를 받아먹고 제자리로 돌아와 서서 기도를 하고 있는 신자들, 제대 위에 놓인 촛불, 천장에서부터 내려온 백열등의 불빛들, 좌우 대칭으로 아름답게 꾸며져 있는 꽃다발들, 넓게 뚫린 투명창에 새겨진 채색 유리 벽화, 거대한 벽면에 내어걸린 십자가, 그 십자가 위에 매달린 고통스런 청동 예수의 표정, 그 머리에 씌워진 가시관, 못 박힌 손과 발에서 흘러내리는 피, 하늘을 암시하는 천상의 구름, 그 구름에서부터 십자가에 매어달린 예수의 얼굴을 향해 내려오는 비둘기 형상의 성령, 제대 위에 펼쳐져 있는 성서, 성체 분배자 옆에 서 있는 어린 복사의 표정, 제단 앞에서 파이프 오르간을 두드리며 연주하고 있는 흰 미사포를 쓴 여인, 제단 양 옆에 서 있는 성모상과 자신의 붉은 심장을 꺼내들고 있는 예수성심상, 그 동상 밑에 치장된 아름다운 꽃들.

"그리스도의 몸."

줄이 짧아질수록 분배자의 목소리가 가까워지고 있었다. 분배자의 손이 성반 속에서 성체를 꺼내어 짧게 허공 위에 치켜들 때마다 신자들은 고개 숙여 "아멘" 하고 화답하며 성체를 손바닥 위에 받아든다. 그러고 나서 사람들은 그 성체를 입 안에 밀어 넣고서는 두 손을 모아 합장을 하고 제자리로 돌아오는 것이다.

그는 앞에 선 아내가 성체를 향해 공손히 머리 숙여 인사하는 것을 보았다. 그러나 그는 평소와는 달리 고개 숙여 인사를 할 수 없었다. 그는 완전히 경직되어 있었다.

"그리스도의 몸."

아내에게 성체를 나누어주면서 분배자가 말하였다. 그 순간, 그 목소리를 듣는 순간, 그는 심장이 멎는 것 같았다. 그 목소리, '그리스도의 몸'이라는 짧은 목소리. 불과 여섯 자에 불과한 짧은 목소리. 그러나 그 목소리야말로 그를 불가사의한 공포와 악몽에 떨어뜨린 악령의 목소리였다. 그는 순간 고개를 들어 성체를 분배하는 그 사목위원의 얼굴을 쳐다보았다. 그러나 사목위원의 모습은 제대로 보이지 않았다. 사목위원의 뒤에는 눈부신 백열등이 빛나고 있어서 역광 속의 그의 얼굴은 불분명했으며 그는 고개까지 숙이고 있었으므로 보이는 것은 그의 이마와 머리카락뿐이었다.

사목위원은 성체를 짧게 치켜들고 아내의 얼굴을 보았다. 그것은 당연한 일이었다. 간혹 세례를 받지 않은 비신자 중에서 호기심 때문에 영성체를 하는 경우가 있었으므로 분배자들은 신자들의 얼굴과 눈을 쳐다보며 진위 여부를 짧은 순간 분별해내야 했기 때문이었다.

"아멘" 하고 아내가 대답하자 분배자는 아내의 손바닥 위에 성체를 내려놓았다. 아내는 옆으로 물러서고 마침내 그의 차례가 되었다. 그러나 그는 앞으로 나아갈 수 없었다. 이상하다는 표정으로 분배자는 그를 보았다. 짧게 두 사람은 눈이 마주쳤다. 성체가 들어 있는 성반의 밑부분을 쥔 그의 왼손이 한눈에 들어왔다. 동시에 가운뎃손가락과 새끼손가락 사이에 있는 무명지에 끼워져 있는 묵주 반지가 그의 눈을 파고들었다. 그 반지를 본 순간 그는 더욱더 온몸이 뻣뻣하게 굳어져서 제자리에 얼어붙은 듯 앞으로 나아갈 수 없었다.

반지, 아아, 저 반지. 그리고 저 목소리.

그는 필사적으로 있는 힘을 다해 한 발짝 앞으로 떼어놓았다. 그러자 분배자는 성체를 손가락으로 집어 꺼내들고 허공으로 치켜들며 말하였다.

"그 · 리 · 스 · 도 · 의 · 몸."

그렇다. 바로 저 목소리다. 성체를 받아먹은 그에게 견딜 수 없는 공포와 발작적인 구토감을 일으키게 한 악령의 실체는 바로 저 목소리였다. 저 목소리를 가진 사람, 그리고 왼쪽 무명지에 저와 같이 독특한 묵주 반지를 끼고 있는 사람. 그는 낄낄 웃으며 내게 말했었지.

"내 이름은 '에스S,' 바로 마왕을 가리키는 사탄Satan의 약자이지."

이 이럴 수가 있는가, S를 이곳에서 만나다니. 자기 입으로 악마라고 말한 바로 그 사람, 나는 그 사람의 이름을 모른다. 내가 알고 있는 것은 그가 S라는 대명사로 불렸던 사람이라는 것뿐이었다. 그 'S'를 새로 이사 온 성당에서 그것도 거룩한 성체를 분배하는 자리에서 만나다니. 이것은 환상인가. 내가 지금 무슨 꿈을 꾸고 있는 것은 아닐까. 아니다. 이것은 꿈이 아니라 분명한 현실이다.

그는 자신의 입으로 말했었어.

"나는 너희들과 같은 놈들을 잡아들이는 저승사자, 즉 사탄이다. 그래서 사람들은 나를 에스S라고 부르고 있지."

그의 온몸은 나무토막처럼 굳어 있었다. 성체 분배자는 그의 얼굴을 의아한 표정으로 쳐다보았다. 순간 분배자의 눈과 그의 눈은 마주쳤다. 안경을 쓴 분배자의 눈은 백열등의 불빛을 반사하고 있어서 자세히 볼 수는 없었다. 그 안경 역시 낯익은 S의 물건임에 틀림이 없었다.

"그 · 리 · 스 · 도 · 의 · 몸."

성체 분배자는 마지막으로 남은 한 사람의 신자가 이해할 수 없을 만큼 긴장된 표정으로 머뭇거리자 재촉하듯 손가락으로 집어든 성체를 다시 한 번 허공으로 치켜올리면서 짧게 말하였다. 그는 두 손을 천천히 내어밀었다. 순간 휘청거렸다. 그는 거의 쓰러질 것 같았다. 분배자는 그의 손바닥 위에 원형 성체를 올려놓았다. 그것으로 성체 분배는 모두 끝난 셈이었다. 그는 짧은 순간 분배자가 성반을 두 손으로 받쳐들고 계단을 올라가는 뒷모습을 보았다. 그리고 남은 성체가 담긴 성반을 주임 신부에게 돌려주는 모습을 지켜보았다.

틀림없이 그는 S다. 자신의 입으로 마왕, 즉 사탄이라고 말하였던 바로 그 사람이다. 그 S가 어째서 이 성당에 있는 것일까. 성당에 있을 뿐 아니라 제단 앞에서 거룩한 성체를 분배하고 있는 것일까.

그는 간신히 성체를 입 안으로 밀어넣었다. 성체가 향기로운 밀떡 냄새를 풍기며 입 안에서 녹아 사라지는 초자연적인 기쁨을 느낄 겨를도 없이 그는 또다시 발작적인 구토감을 느꼈다. 그는 욕지기를 간신히 참으며 제자리로 돌아와 앉았다.

"왜 그래요. 여보."

아무래도 이상하다는 듯 아내가 그에게 속삭여 말하였다. 그는 대답 대신 이를 악물었다. 저번 재의 수요일 미사처럼 욕지기를 견디지 못하고 또다시 밖으로 나아가 화장실에서 목을 꺾고 토할 수는 없다고 생각하였다. 그는 성호를 그으며 두 손을 모아 합장을 하였다. 그러나 그는 마음의 충격으로 안정을 찾을 수가 없었다.

이, 이럴 수가 있는가. 저 성체 분배자야말로 바로 그 사람 S인 것이다. 내 빛나는 젊음을 갈가리 찢어놓은 바로 그 놈. 그뿐인가. 내 인생 자체를 송두리째 파괴해버린 바로 그 사람 S. 아아, 이제야 알겠다. 재의 수요일의 첫 미사에서 성체를 받아먹었을 때 갑자기 발작적인 구토감을 느꼈던 것은 무의식 속에 잠재되어 있었던 S에 대한 공포가, 그의 목소리에 의해서 되살아나 격발(擊發)된 탄환처럼 그의 의식을 관통하였기 때문인 것이다.

그는 끊임없이 솟구쳐오르는 욕지기를 참기 위해서 계속 이를 악물었다. 그러나 소용없는 짓이었다. 그는 더 이상 견딜 수가 없었다.

"왜 그래요. 여보."

걱정스런 표정으로 아내가 그의 얼굴을 쳐다보았다.

"……토할 것 같아."

그는 간신히 말을 하고 일어섰다.

"미사가 끝난 뒤 성모상 앞에서 만나자구."

그는 비틀거리면서 성당을 빠져나왔다. 먼젓번의 경험이 있었으므로 곧바로 그는 사무실 쪽의 계단을 내려갔다.

'나는 악마를 보았다.'

그는 걸어가면서 중얼거렸다.

'마침내 나는 악마의 실체를 밝혀낼 수 있었다.'

화장실로 들어가 그는 변기의 뚜껑을 열고 목을 꺾었다. 욕지기는 계속 솟구치고 있었지만 아무런 오물도 목구멍을 통해 올라오고 있지 않았다. 그는 두려웠다. 두렵고 무서웠다. 두렵고, 무섭고 그리고 끔찍하였다. 그 끔찍스런 공포에서 도망치고 싶었다.

누군가 그의 두 눈을 헝겊으로 가렸다. 그의 두 손은 단단하게 결박되어 있었다. 그리고 그의 몸은 거센 힘에 의해서 어떤 방안에 집어던져 넣어졌다. 물소리가 계속 들려오고 있었다. 그때 S의 목소리가 들려왔었다.

"너는 이곳에서 오늘 밤 죽을 것이다. 어떻게 죽느냐고? 너는 익사해 죽을 것이다. 어떻게 이 방에서 익사해 죽느냐고? 너는 곧 알게 될 것이다."

그의 얼굴에 얇은 수건 같은 것이 씌워지고 순간 얼굴에 뭔가 차가운 액체 같은 것이 쏟아졌다. 그것은 물이었다. 물은 계속 흐르고 있었다. 물은 젖은 수건으로 스며들어와 그의 얼굴은 해면체(海綿體)처럼 부풀어오르기 시작하였다. 그렇지 않아도 코로 숨을 쉴 수가 없었는데 수건으로 계속 물이 쏟아지고 있었으므로 그는 질식감을 느끼고 있었다. 자연 입을 벌릴 수밖에 없었다. 그래도 소용없는 짓이었다. 물은 계속 같은 양과 속도로 일정하게 쏟아지고 있었으므로 숨을 들이마실 겨를이 없었다. 그는 비명을 지르려 하였다. 그러나 비명조차 입 밖으로 새어나오지 않았다. 온몸을 비틀었지만 두 손이 결박되어 있었기 때문에 요동조차 칠 수 없었고, 강한 힘이 그의 머리를 꼼짝 못하도록 압박하고 있었다.

"물은 네 코로 스며들어가 목구멍을 타고 너의 허파로 계속 스며들 것이다."

그의 귓가에서 S의 목소리가 계속 들려오고 있었다.

"그래서 너의 허파는 곧 물로 가득 차게 될 것이다. 그리하여 네가 죽으면 우리는 너를 바다 속에 처넣을 것이다. 물론 네 발에는 무거운 돌을 매어달 것이다. 너의 시체는 깊은 바닷물 속에 잠길 것이다. 바다 속의 많은 물고기들이 네 살과 뼈를 먹어치워 며칠 뒤면 너는 흔적도 남지 않을 것이다. 다행히 운이 좋아 네 시체가 물 위로 떠오른다고 해도 너는 수영을 하다 죽은 익사자로 처리될 것이다."

"살려줘요."

그는 소리쳤다. 그러나 비명을 지르려고 입을 벌리면 그만큼 물이 입 안으로 들어오고 젖은 수건이 그의 숨을 압박하였다. 죽음에 대한 공포가 극심한 고통으로 다가왔다. 까무룩, 의식이 멀어져가고 있었다. 물은 계속 그의 목구멍을 타고 몸의 내부로 흘러들어가고 있었다.

"나를 우습게 생각해서는 안 된다. 나는 너희 같은 놈들을 잡아먹는 저승사자니까. 그래서 사람들은 나를 사탄, 즉 에스S라고 부르고 있지."

어릴 때 수영장에 갈 때면 구명부대(救命浮帶)에 입김을 불어 공기를 집어넣곤 했었지. 처음에는 공기를 집어넣기가 쉬웠어. 쉬익쉬익 입김을 불 때마다 들어가는 공기 소리와 조금씩 부풀어오르는 튜브의 감촉도 느껴지곤 했었지. 그러나 어느 정도 부피가 차오르면 입김을 불어넣기가 쉬운 일이 아니었어. 팽팽하게 부풀어오른 고무 튜브는 더 이상 공기를 받아들이지 않으려고 저항하고 있었고, 입김을 불어넣는 사람은 조금이라도 더 공기를 집어넣어 고무 튜브를 팽창시키기 위해서 있는 힘껏 얼굴이 빨게지도록 집어넣곤 했었지.

흐르는 물의 고문은 바로 그런 느낌이었다. 마치 구명부대 속에 입김을 불어넣듯 그의 몸 속에 계속 물을 넣어 채우는 것과 같았다. 그의 몸은 받아들이지 않으려고 필사적으로 저항하고 있지만 물은 계속 그의 온몸으로 스며들어 그를 가득 채우고 있었다. 그의 몸은 마침내 무중력의 액체 상태로 가득 채워져서 해파리처럼 둥둥 떠다닐 것이다.

"너는 더 이상 사람이 아니다. 네가 사는 유일한 방법은 사람이 아니라 물고기가 되는 일이다. 너는 이제 물고기다. 네 몸에는 지느러미가 돋고 아가미가 생겨날 것이다. 네 다리에는 꼬리가 생기고 네 몸에는 비늘이 돋을 것이다."

똑똑히 기억한다. 물고문으로 죽어가던 그의 귓가에 마치 뜨거운 납처럼 부어지던 S의 목소리가.

그는 변기에 목을 꺾고 계속 구역질을 하였다. 그러나 아무것도 토해지는 것은 없었다. 그의 눈에서 눈물이 흐르기 시작하였다. 감정이 섞인 눈물이 아니라 헛구역질을 하느라고 고통을 참는 얼굴에서 흘러내리는 안약 같은 눈물이었다.

그는 일어섰다. 더 이상의 구토감은 솟구치지 않았지만 극심한 공황(恐慌) 뒤끝의 허탈감 같은 것이 찾아와서 그는 쓰러질 것만 같았다. 그는 거울 앞에 서서 혼백이 빠져나간 유령과 같은 자신의 얼굴을 쳐다보았다. 무심코 수도꼭지를 틀어 흐르는 물에 손을 씻으려다 말고 그는 물을 본 순간 비명을 지르고 몸서리를 치며 물러섰다.

그제야 저녁 미사가 끝났는지 웅성거리는 사람들의 발소리가 들려오고 화장실로 사람들이 몰려들고 있었다. 그는 서둘러 화장실을 빠져나왔다.

그는 아내와 만나기로 한 성모상이 있는 성당 앞 뜨락으로 걸어나갔다.

미사를 집전한 신부가 뜨락 한가운데 서서 신자들과 일일이 작별 인사를 나누고 있었다. 마침 성당의 부녀회에서 마련한 간단한 바자회가 함께 열리고 있기 때문인지 뜨락은 사람들로 혼잡하였다.

아내는 성모상 앞에 서서 눈을 감고 기도를 드리고 있었다. 그는 아내가 기도를 끝내기를 기다리며 팔짱을 낀 채 물끄러미 사람들을 바라보고 있었다.

그때였다.

신자들과 인사를 나누는 신부 옆에 또 한 사람이 서서 일일이 인사를 나누고 있는 모습이 눈에 띄었다. 아마도 평신도를 대표하는 사목회장쯤 되는 사람인 모양이었다. 무심코 그 사람의 얼굴을 본 순간 그는 직감적으로 그가 바로 장백의를 입고 성체를 나누어주던 분배자임에 틀림이 없다고 생각하였다. 제의를 벗고 있었으므로 그는 전혀 다른 사람처럼 보였다. 그러나 틀림없는 분배자 바로 그 사람이었다. 아니 분배자일 뿐 아니라 틀림없는 S, 바로 그 사람이었다. 그는 왼쪽 어깨에서부터 무릎까지 흰 띠를 두르고 있었다. 그 띠에는 다음과 같은 구호가 씌어져 있었다.

'그리스도 우리의 평화.'

부활절을 맞아 성당에서 벌어지는 캠페인의 구호를 널리 알리기 위해서 그런 띠를 두르고 있는 모양이었다. 단정한 감색 양복에 기름을 바르고 가르마를 타서 양옆으로 빗어올린 깔끔한 머리. 전혀 감정이 엿보이지 않는 무테 안경, 그리고 왼손 무명지에 빛나고 있던 독특한 묵주 반지.

순간 그는 분노했다.

'그리스도 우리의 평화'라니, 악마인 S가 감히 그러한 구호가 씌어진 띠를 두르고 있다니, 악마인 S가 감히 그리스도의 몸인 성체를 분배하고 성당 앞 뜨락에서 신자들과 웃으며 작별 인사를 나누고 있다니. 악마인 S가 평신도를 대표하는 사목회장이라니.

7

그 다음 일주일 간은 악몽의 연속이었다. 그는 매일 밤 잠이 들면 가위에 눌렸다. 비명을 지르는 그를 번번이 아내가 흔들어 깨우곤 했었다. 그럴 때마다 그는 온몸에 땀을 흘리며 악몽에서 깨어나 도대체 이러한 돌발적인 공포가 구체적인 것인가, 아니면 무슨 유령에 씐 듯 환상적인 것인가를 끊임없이 되새겨보곤 했었다.

과연 그런 일이 가능한 일인 것일까.

그는 S의 이름을 모른다. 얼굴도 모른다.

그는 그곳에서 갇혀 있던 기간 동안 자신을 고문하던 모든 사람들이 서로의 이름을 부르는 것을 한 번도 들어본 적이 없었다. 그는 네 명의 기술자들에게 번갈아가며 고문을 당했었다. 그들은 스스로를 다만 '기술자'라고만 부르고 있었다. 아마도 그 용어는 자신들을 고문을 전문으로 하는 기술자라고 부르는 일종의 은어일 것이다. 그들은 무자비하고 기계적이었다. 그러나 그들이 고문을 전담하는 하수인에 불과하다는 사실을 깨닫기에는 시간이 오래 걸리지 않았다. 그들은 명령에 의해서 움직이는 로봇과 다름이 없었다. 그들을 조종하고 그들에게 명령을 내리는 사람이 바로 S였다.

고문 기술자들은 S를 다만 '부장님'이라고 불렀다. 그는 S의 얼굴을 한 번도 제대로 본 적이 없었다. S는 언제나 백열등 저편의 어둠 속에서만 존재하고 있었다. 그는 기술자들과는 달리 흥분하여 목소리를 높이는 적도 없었고 자신의 손으로 직접 구타를 하거나 자신의 입으로 욕설을 하는 적도 없었다. 그는 늘 신사적이었으며 그리고 침착하고 냉정했다. 무슨 화장품을 쓰는 것일까. S가 앞에 있으면 그의 몸에서 향긋한 미안수(美顔水) 냄새가 항상 일정하게 풍겨오고 있었다.

밀폐된 공간에 오랫동안 갇혀 있으면 모든 세포와 촉각들이 필요 이상으로 예민해지는 것일까. 처음에는 S의 몸에서 풍겨오는 화장품 냄새가 S를 신사적인 이미지로 느껴지게 했지만 곧 그 냄새가 죽음을 예고하는 독가스의 냄새임을 그는 알아차릴 수가 있었다.

S는 항상 눈부신 백열등 저편에 자리하고 있었다. 그 백열등은 그를 잠재우지 않는 고문의 도구이기도 했다. 잠을 자기 위해서는 어둠이 필요한 것을 그때에야 그는 절실히 깨달았다.

닭에게 달걀을 많이 낳게 하기 위해서 낮이나 밤이나 일정한 빛을 밝혀 어둠을 없애주면 닭은 시간 관념을 잊어버리고 언제나 알을 낳는다는 해외 토픽의 기사를 그는 그 백열등 불빛 속에서 새삼스럽게 떠올렸다. 그는 또한 도심의 가로수에서 한여름 동안 매미들이 시간 관념을 잊어버리고 한밤중에도 쉴새없이 울고 있는 것은 대낮처럼 밝은 가로등 불빛 때문이라는 뉴스의 내용도 그 백열등 불빛 속에서 떠올렸다. 그는 자신이 닭이나 매미와 같은 곤충으로 느껴지곤 했었다. 그는 언제나 알을 낳고 언제나 울어대는 벌레에 지나지 않았다. 그는 인간이 아니었다. 그는 짐승이었고 곤충이었다.

눈부신 백열등은 그의 얼굴을 향해 언제나 폭발하고 있었다. 카메라 플래시가 항상 그의 눈앞에서 터지고 있는 느낌이었다.

때문에 그는 굳이 그를 잠재우지 않는 다른 방법을 일부러 쓰지 않아도 잠을 잘 수 없었다. 눈을 감아도 눈꺼풀을 뚫고 들어오는 빛의 강도가 사막의 은빛 모래 위에서 작열하는 태양의 광선처럼 그의 두 눈을 파고들었다. 빛의 독수리들은 그의 두 눈을 날카로운 부리로 쪼아대고 있었다.

S는 늘 백열등 저편의 어둠 속에 자리 잡고 있었다. 이쪽은 빛의 폭포 속에 무방비로 노출되어 있었고, S는 항상 그 빛의 건너

편 어둠 속에 숨어 있었다.

S의 모습은 음화(陰畵)처럼 느껴졌다. 마치 현상한 필름 속에 나타나는 명암, 흑백들이 피사체와는 반대의 화상처럼 보이듯 그의 모습은 신기루에 불과하였다.

S는 안경을 쓰고 있었는데 그 안경 너머로 S의 눈빛을 엿볼 수는 없었다. 오히려 백열등 불빛 아래 앉아 있는 자신의 비틀린 모습만이 렌즈 위에 투영되어 떠오르고 있을 뿐이었다. 인상적이었던 것은 S의 왼쪽 손가락에 반지가 끼워져 있었다는 것이다. 그것은 새끼손가락과 가운뎃손가락 사이의 무명지로서 보통은 결혼한 사람들이 기념 반지 같은 것을 끼는 손가락이었는데, 그 반지가 인상 깊게 느껴진 것은 반지의 겉면에 오톨도톨한 일정한 점이 새겨져 있다는 점이었다. 그 점에는 푸른 형광색 보석 같은 것이 박혀 있었다. 그 반지가 그의 기억에서 지워지지 않는 것은 백열등 불빛 속에서 그 푸른 보석 부분이 유난히 반짝이고 있었기 때문이었다.

그가 S의 손가락에 끼워져 있었던 반지가 묵주 반지라는 사실을 알게 된 것은 그로부터 오랜 뒤 그가 영세를 받고 가톨릭 신자가 되고 난 뒤였다.

가톨릭 신자들은 누구나 십자고상이나 성모 마리아 상과 같은 성상이나 묵주 같은 성물들을 대부분 갖고 있게 마련인 것이다. 특히 로사리오 기도라고 불리는 묵주 기도를 하기 위해서는 필수적으로 묵주를 갖고 있지 않으면 안 되는 것이다. 다만 일상생활 틈틈이 짧은 시간에 묵주 기도를 하기 위해서 남자들은 번거로운 묵주 대신 아주 간단하게 생략된 반지를 낄 수도 있다는 사실을 그는 가톨릭 신자가 된 후에야 알게 되었다. 그러나 그는 S의 손가락에 끼워져 있던 그 반지가 묵주 반지였다는 사실을 애써 인정하고 싶지 않았다. 그는 자신이 잘못 보았을 것이라고 부인하곤 했었다. 그럴 리가 없다. 자신을 고문했던 S. 스스로를 사탄이라고 일컬었던 S가 어떻게 영세 받은 가톨릭 신자들이 끼고 다니는 묵주 반지를 끼고 다닐 수 있을 것인가.

그러나 일주일 동안 그는 줄곧 S의 존재에만 매어달렸다. 과연 성체 분배자가 사탄임에 틀림이 없는가. 그는 다만 분배자의 입에서 흘러나온 '그리스도의 몸'이라는 여섯 글자의 짧은 목소리를 들은 것에 지나지 않는다. 그 짧은 목소리에서 어떻게 그 목소리가 S의 목소리임에 틀림이 없다고 확신할 수 있을 것인가. 또한 그는 분명히 보았다. 분배자의 왼손에 끼워진 낯익은 묵주 반지를. 물론 그 묵주 반지는 평범한 반지가 아니다. 열 개의 묵주 알을 상징하기 위하여 열 개의 점으로 이루어진 반지의 겉면에는 점마다 푸른 보석이 박혀 있다. 특이한 모습의 묵주 반지임에는 틀림이 없다고 해도 그 반지를 낀 성체 분배자가 S임을 입증하는 결정적인 증거는 아닌 것이다.

분배자의 짧은 목소리와 분배자의 왼손에 끼워진 독특한 묵주 반지. 그 두 개의 증거만으로 분배자를 S임에 틀림이 없다고 결론 내리는 것은 지나친 속단일지도 모른다.

그러나 또 있다.

마리아 상 앞에서 기도를 드리는 아내를 기다리는 동안 신부 옆에서 신자들과 일일이 악수를 나누며 인사를 나누는 사목회장이 성체 분배자와 동일 인물임을 깨닫는 순간 그의 얼굴에 씌워진 안경이 S의 얼굴에 씌워졌던 안경과 흡사하다고 느꼈었다. 그러나 평범한 안경 하나가 어떻게 사목회장이 S와 동일 인물임을 입증해줄 수 있을 것인가.

아니다.

자신의 입으로 사탄이라고 분명히 말하였던 S가 어떻게 거룩한 성당에서 '그리스도 우리의 평화'라는 띠를 두르고 신자들과 악수를 나눌 수 있을 것인가.

아직 신학기가 되지 않은 방학 중이었으므로 출근하지 않아도 되었지만 그는 혼란스런 마음을 달래기 위하여 매일 아침 학교로 나갔다. 집에 있으면 숨이 막혀 견딜 수가 없었다. 무엇보다 불안해하는 아내의 마음을 달래줄 수 없었기 때문이었다.

마침내 주말이 되어 두번째 일요일이 다가왔을 때 그는 한 가지 결론을 내렸다.

그는 S에 관한 결정적인 단서를 갖고 있었다. 그것은 S의 오른손 중에서 네번째 손가락의 매듭 하나가 절단되어 있다는 사실이다. 우연히 S는 자신의 두 손을 책상 위에 올려놓고 무엇인가 얘기를 하고 있다가 그의 시선이 자신의 손가락 위에 멎어 있다는 것을 눈치 챘다. 그 순간 S는 자신의 절단된 손가락을 허공 위에 마치 오케스트라를 지휘하는 지휘자의 손처럼 세워들었다. 그리고 말하였다.

"봐라. 보다시피 내 오른손의 네번째 손가락 매듭 하나가 이렇게 절단되어 있다. 이것이 어디에서 생긴 상처인 줄 알겠나. 알 리가 없지. 내가 가르쳐주겠다. 이것은 월남전에 참가했을 때 다친 상처지. 너희와 같은 빨갱이 녀석들과 목숨을 걸고 싸우다 얻은 일종의 훈장이라고 말할 수 있지. 난 손가락의 매듭 한 개를 잃어버렸지만 나와 함께 있던 전우 녀석은 오른쪽 다리 하나를 잃어버렸다. 지뢰가 폭발했었거든. 파편에 맞아 온몸에는 여기저기 상처가 났지만 없어진 것이라곤 보다시피 손가락의 매듭 한 개뿐이지."

그때 S는 그것을 자랑이나 하듯 백열등 불빛 아래에서 오른손을 치켜세워 들고 자신의 부러진 손가락을 그에게 분명히 보여주었었다.

그렇다.

그는 결론을 내렸다.

그 성체 분배자가 S임에 틀림이 없다는 것은 그 목소리와 묵주 반지 그리고 안경 세 가지만으로는 충분치 않다. 그 분배자가 S임에 틀림이 없다는 것을 밝혀내기 위해서는 그의 오른손 네번째 손가락의 매듭 하나가 절단되어 있는 것을 확인하지 않으면 안 될 것이다.

그는 그렇게 '사순제 2주일'의 일요일을 기다렸다. 그는 이번

일요일이야말로 그 사목회장이 S임에 틀림이 없는가 아니면 일시적으로 그렇게 판단하였던가를 판가름하는 아주 중요한 고비라고 스스로 다짐하였다. 모든 것을 명명백백하게 밝혀내지 않으면 그는 알 수 없는 공포와 악몽 속에서 헤어나오지 못하고 그대로 절망의 늪 속으로 가라앉을지도 모른다고 생각했기 때문이었다.

8

부활절로 나아가는 두번째의 일요일인 '사순제 2주일'의 저녁 미사에 또다시 그는 아내와 함께 참석하였다. 그는 먼젓번과는 달리 뒷좌석에서 벗어나 전혀 다른 방향의 좌석에 앉았다. 더 이상 미사 시간 중에 자신에게 무슨 일이 일어났던가를 되풀이해서 살펴볼 필요가 없었던 것이다.

이제 남은 것은 한 가지뿐이다.

그것은 사목회장의 오른손에서 네번째 손가락의 매듭 하나가 절단되어 있는가 아닌가를 확인하는 일일 뿐. 그것을 확인하기 위해서는 사목회장을 향해 악수를 청하는 방법뿐이다. 이쪽에서 먼저 자신의 신분을 밝히고 손을 내민다면 사목회장은 당연히 오른손을 내밀어 악수를 받을 것이다. 그렇게 되면 짧은 순간이지만 사목회장의 모든 손가락들을 확인해볼 수 있을 것이다.

S와의 악수.

자신의 빛나던 청춘을 갈가리 찢고 자신의 인생을 송두리째 파괴하였던 S. 악마와 악수를 하기 위해서 그는 사순 제2주일 저녁 미사에 참석했던 것이다.

시간이 되자 미사가 시작되었다. 여전히 외국인 신부에 의해서 집전되고 있었다. 그날의 성서는 마태오복음 17장 1절에서 9절까지의 말씀이었다.

예수가 베드로를 위시한 세 명의 제자들을 데리고 높은 산에 올라갔을 때 그들 앞에서 얼굴은 해와 같이 빛나고 옷은 빛과 같이 눈부셨다는 영광스러운 변모의 장면이었다.

신부는 예수의 변모는 죽음에서 사흘 만에 부활하셨을 때의 영광스러운 모습을 미리 보여준 것이라고 강조하고 이렇게 말하였다.

"베드로가 영광스럽게 보았던 해와 같이 빛나던 예수의 얼굴은 곧 가시관에서 흘러내리는 피로 범벅이 될 것이며, 빛과 같이 눈부셨던 옷은 헤로데가 입혀준 조롱의 복장으로 우스꽝스러운 모습이 될 것이며 그 의상마저 벗겨져서 예수는 마침내 벌거벗은 몸이 되어버릴 것입니다."

신부의 그 말을 듣는 순간, 그는 전율하였다. '빛과 같이 눈부셨던 옷이 벗겨져서 마침내 벌거벗은 몸이 되었다'는 신부의 말에서 그는 아득한 고통의 옛 기억을 문득 떠올렸기 때문이었다.

바로 그의 눈앞에서 그녀는 하나씩하나씩 옷이 벗겨지고 있었다.

“네가 입을 열어 불지 않는 한 이 계집년은 이곳에서 옷을 벗겨 마침내는 실오라기 하나 걸치지 않은 알몸이 될 것이다.”

어둠 속에 숨어서 S는 전혀 감정이 섞이지 않은 목소리로 그렇게 말하였다.

“네가 이 계집년의 알몸을 보고 싶다면 일부러 모른 체하고 입을 열지 않아도 좋다.”

마침내 입었던 모든 옷들이 벗겨지고 그녀가 브래지어와 팬티 차림으로 되어버렸을 때 그는 보았다. 온몸에서 털이 모두 뽑힌 채 뜨거운 전기통 속에서 구워지는 통닭의 모습처럼 도살되고 있는 그녀의 모습을. 그녀의 육체는 이미 생명이 깃든 영혼의 집이 아니었다. 그녀의 몸은 푸줏간에 내어걸린 하나의 고깃덩어리에 지나지 않았다.

그는 순간 이를 악물었다.

나는 S를 단죄할 것이다. 주님의 손으로가 아니라 내 손으로 그를 처단할 것이다. 내 손으로 그를 죽일 것이다.

9

미사가 끝났을 때 그는 아내와 나란히 성당 뜨락으로 걸어나왔다. 아내는 잠시 성모상 앞으로 기도를 드리러 갔고 그는 계단

위에 서서 뜨락을 살펴보았다.

평소처럼 미사가 끝난 뒤 뿔뿔이 흩어지는 신자들을 신부가 맞고 있었다. 신자들은 신부에게 다가와 인사를 나누거나 미리 갖고 온 묵주와 성물들에 대해 축성을 받고 있었다. 신부의 바로 옆에는 사목회장이 함께 서서 신자들과 웃으며 작별 인사를 나누고 있었다.

그는 어느 정도 신자들이 사라지기를 기다렸다. 아내가 기도를 드리고 있는 동안 사람들은 많이 사라지고 뜨락은 정리가 되어 한산한 편이었다. 그는 아내와 함께 신부 앞으로 걸어갔다. 그의 마음은 이상하게 가라앉아 있었으며 그리고 담담했다.

"신부님."

그는 신부 앞에 머리를 굽혀 인사를 하고 말하였다.

"새로 이사를 온 신자입니다. 제 이름은 최성규라고 합니다. 세례명은 베드로입니다."

"아, 그러세요."

벽안의 신부는 다정하게 웃으며 손을 내밀었다. 그는 신부의 손을 마주 잡았다. 따뜻한 손이었다.

"이쪽은 제 아내입니다."

"글라라예요. 신부님, 처음 뵙겠습니다."

아내는 수줍게 고개를 숙여 인사를 하였다.

"정말 잘 오셨습니다. 인사하시지요. 이쪽은 총회장이십니다."

신부는 옆에서 사람들과 인사를 나누고 있는 사목회장을 손짓으로 불렀다. 그는 신부 곁으로 다가왔다.

'그리스도 우리의 평화,' 사목회장이 두른 띠에 씌어진 구호가 그의 눈을 찔렀다.

"인사하시지요. 이쪽은 새로 전입해 오신 우리 성당의 새 가족이시구요. 이쪽은 총회장이십니다."

"어서 오세요. 반갑습니다."

사목회장은 그에게 손을 내밀었다. 그는 자신의 손을 내밀었다. 사목회장의 손이 그에게 다가왔다. 그는 그 손을 보았다. 두 사람의 손이 가볍게 부딪쳤다. 그리고 어느 순간 마주 잡아졌다. 악수를 할 때면 느껴지는 것이지만 유난히 악력(握力)이 느껴지는 손이 있다. 그 사람의 손이 그러했다. 손이 아플 정도였다. 마주 쥔 두 사람의 손이 가볍게 흔들렸다. 그리고 그 강한 힘이 슬그머니 그의 손에서 빠져나왔다. 허락된다면 그는 손가락을 확인할 때까지 사목회장의 손을 그대로 붙잡고 있고 싶었다. 그러나 아무것도 확인할 겨를 없이 사목회장의 손은 빠져나갔다. 사목회장은 주머니에서 지갑을 꺼냈다.

"저는 신영철 가브리엘이라고 합니다. 저희 성당에 새로 오셔서 반갑습니다. 자주 뵙게 되겠지요."

사목회장은 지갑 속에서 명함을 꺼내어 그에게 내밀었다. 할 수 없이 그도 지갑을 뒤져 그 속에서 명함을 꺼냈다. 예의상 명함을 지갑 속에 갖고 다니고 있었지만 자주 교환을 하는 편은 아니었다.

"저는 최성규 베드로라고 합니다."

"아."

그가 내민 명함을 받아들고 사목회장이 순간 얼굴에 미소를 띠었다.

"Y고등학교의 선생님이시로군요. 반갑습니다. 제 아들이 마침 Y고등학교에 다니고 있습니다. 그러고 보니 저는 학부형이고, 최선생님은 저희 아이들의 스승이신 셈이네요."

사목회장은 꺼낸 지갑 속에 그의 명함을 찔러넣었다. 그 순간이었다. 왼손으로 지갑의 아가리를 벌리고 명함을 찔러넣는 사목회장의 오른손을 그는 선명하게 보았다. 동시에 사목회장의 오른손 네번째 손가락의 매듭 하나가 절단되어 있는 모습 또한 그는 선명하게 보았다.

순간 그는 온몸의 피가 역류하였다.

사목회장이야말로 S. 바로 그 사람임에 틀림이 없는 것이다. 더 이상 무슨 증거가 필요한 것일까. 사목회장은 사탄, 즉 악마 바로 그 놈인 것이다. 십몇 년이 지난 오늘에야 그 사람의 진짜 이름을 알게 되었으니 그 사람의 본명은 S가 아니라 신영철 가브리엘인 것이다.

그렇다.

그 사람의 이니셜 S는 사탄Satan에서 빌려온 것이기도 하지만 자신의 본명인 신영철에서 따온 것임에 틀림없다.

제2장 고통의 축제

1

쾅쾅쾅쾅.

거칠게 문을 두드리는 소리에 그는 잠이 깼다. 처음에 그는 자신의 방문을 두드리는 소리라고는 생각지 않았다. 그는 무심코 시계를 보았다. 새벽 2시가 넘어 있었다. 이렇게 깊은 밤중에 자신을 찾아올 사람이 있을 리 없다고 생각하고 그는 끊긴 잠을 잇기 위해서 다시 눈을 감았다.

쾅쾅쾅쾅.

그러나 문을 두드리는 소리가 계속 들려왔다. 그 소리는 분명히 자신의 방문을 두드리는 소리였다. 할 수 없이 그는 침대에서 몸을 일으켰다. 분명히 누군가 착각하여 문을 두드리고 있다고 그는 생각했다. 간혹 그런 경우가 있었다. 빌딩을 전세내어 학생들을 위해서 작은 아파트를 운영하고 있었는데 말이 아파트지 실은 칸막이를 하여놓은 쪽방에 지나지 않았다. 침대 하나에 책상을 놓으면 빈 공간이 없을 만큼 서너 평도 되지 않는 비좁은 공간이었다. 그래도 이 쪽방이 인기가 있었던 것은 각자 자신만의 공간을 소유할 수도 있고 방마다 열쇠가 있어 독립된 생활을 유지할 수 있다는 점이었다. 특히 사법고시를 준비하는 수험생들에게는 서로 간섭을 받지 않고 공부를 할 수 있고 또한 서로 정보를 교환할 수 있는 장점도 있는 방이었다.

그래서 학생들은 스스로 이 방을 '닭장'이라고 불렀다. 상가 빌딩을 조각내어 무리하게 쪽방을 만들었으므로 그가 묵고 있는 3층만 해도 좁은 복도 양 옆으로 여덟 개씩 도합 열여섯 개의 닭장이 있었다. 때문에 한밤중에 술 취한 학생들이 친구들을 찾아왔다가 간혹 잘못 방문을 두드리기도 했다.

틀림없이 그럴 것이라고 생각하면서 그는 침대에서 일어나 문 앞으로 다가갔다.

"누구세요?"

그는 하품을 하면서 물었다.

쾅쾅쾅쾅.

그러나 문밖에서는 아무런 소리도 없었다. 그는 하는 수 없이 잠금 장치를 풀고 문을 열었다. 그 순간이었다. 뭔가 문밖으로부터 순식간에 쏟아져 들어오는 강력한 힘에 의해 그는 그대로 쓰러졌다. 무슨 일이 일어났는가를 가늠해볼 만한 겨를도 없이 그는 쓰러지고 누군가에 의해서 두 팔이 꺾였다.

"최성규, 최성규 맞지?"

꺾인 그의 두 팔은 극심한 고통으로 비틀렸다. 그는 비명을 지르면서 머리를 끄덕였다.

"……맞습니다."

"어디 있어?"

대뜸 그의 목을 손바닥으로 짓누르며 누군가 거칠게 물었다. 그는 극심한 혼란에 사로잡혔다. 이것이 꿈속인가 하고 그는 생각하였다. 그러나 아니었다. 꿈은 아니었다. 누군가 방 안에 불을 켰다. 접촉이 나쁜 형광등이 스위치를 올리자 네댓 번 채집병 속의 곤충처럼 날개를 펄럭이다 간신히 켜졌다. 얼핏 보아 방 안으로 습격해 들어온 사람이 세 명 정도는 되어 보였다.

"어디 있냐고?"

"……뭘 말씀이십니까?"

"아쭈, 이 새끼 봐라."

거의 동시에 옆에서 거대한 불덩어리가 날아들어왔다. 그 불덩어리가 자신의 얼굴과 온몸을 향해 던져졌다. 그것이 불덩어리처럼 느껴졌던 것은 격렬한 뜨거움 때문이었다. 그 뜨거움이 고통이라고 느껴진 것은 오랜 시간이 흐른 뒤였다.

"한경환 어디 있어?"

"누구요?"

"한경환 말이야."

뜨거운 용광로 속에서 그는 도대체 무슨 일이 일어나고 있는가를 알아보기 위해서 필사적으로 정신을 모았다.

"모, 모릅니다."

그는 헐떡이며 대답하였다.

"이 새끼 봐라."

다시 뜨거운 불덩어리가 그의 머리 위에서 별똥별처럼 쏟아졌다. 그는 머리를 부여잡고 마룻바닥을 뒹굴었다.

"찾아봐."

그들은 구둣발로 방 안으로 올라섰다. 찾아보고 말고 할 공간조차 없는 좁은 방이었다. 그러나 그들은 침대를 뒤집어엎고 책상의 모든 서랍을 열었다. 유일하게 밖으로 나 있는 창문까지 열어 확인하며 혹시 그 창문을 통해 도망쳐버린 것이 아닐까 꼼꼼히 점검한 후 그들은 거친 숨을 몰아쉬면서 말하였다.

"없어. 이미 도망쳐버렸나 봐."

"이봐, 최성규."

그의 두 팔을 꺾은 사내가 낮은 목소리로 말을 뱉었다.

"너 한경환이 알지?"

"압, 압니다."

"한경환이 어디 있어?"

"모, 모릅니다."

"이 새끼 안 되겠어. 데리고 가."

누군가 그의 바지에서 혁대를 빼내었다. 또한 누군가 그의 두 눈에 헝겊을 묶고 앞을 볼 수 없도록 안대를 하였다. 캄캄한 어둠이 왔다.

"구두를 신어."

누군가 그에게 명령하였다. 그는 양말을 신지 않았으므로 이렇게 말하였다.

"양말을 신도록 해주십시오."

"이 새끼가."

거센 구둣발에 그의 정강이가 차였다. 그는 비명을 지르며 쓰러졌다.

"맨발로 구두를 신어."

그는 성급히 구두를 찾아 신었다. 양 옆에서 그의 옆구리를 한쪽씩 부축하여 결박하였다. 그는 꼼짝할 수 없을 정도로 거센 힘에 의해서 완전히 포위되었다.

"벌써 도망간 것 같아."

오른쪽을 결박하고 있는 사내가 짜증스럽게 말하였다.

"아무튼 보통 놈이 아니야."

왼쪽의 사내가 이를 갈며 대답하였다. 그는 눈이 가려졌으므로 아무것도 볼 수 없었다. 그들이 시키는 대로 움직일 수밖에 없었다. 빌딩 밖으로 나오자 뭔가 차가운 물방울 같은 것이 떨어지고 있는 것을 보아 밤이 깊자 비가 내리고 있었던 모양이었다. 미리 대기하고 있었는지 발동 걸린 차의 엔진 소리가 들려왔다. 차 문이 열리고 그의 몸은 차 안으로 밀어 던져졌다. 동시에 차의 양 옆에서 누군가 뛰어들어와 그를 다시 양 옆에서 에워쌌다.

"어떻게 됐습니까?"

운전석 쪽에서 비교적 젊은 사람의 목소리가 들려왔다.

"놓쳤어."

오른쪽에 앉아 있는 사람이 여전히 짜증 섞인 목소리로 대답하였다.

"자, 출발하지."

차가 움직이기 시작하였다. 그의 두 눈은 계속 가려져 있었으므로 그는 자신에게 무슨 일이 일어나고 있는지, 어디로 가고 있는지 모든 상황을 다만 촉각과 느낌으로만 감지해낼 수밖에 없었다. 밤이 늦은 시간이었으므로 거리는 한산했는지 차는 한껏 속도를 내고 있었다. 그를 양쪽에 결박하고 있는 사람들의 몸에서 술냄새가 강하게 풍겨오고 있었다. 누군가 담배를 피워 물자 역한 담배 냄새가 코로 스며들었고 좁은 차창 사이로 빗방울이 섞인 밤 공기가 쏟아져 들어왔다. 간혹 드물게 차는 서기도 했었는데 아마도 신호등에 걸려서 파란 불로 바뀔 때까지 기다리는 모양이었다. 그는 온 정신을 집중시켜 상황을 정리해보았다.

이들이 나를 찾아온 것은 한경환 때문일 것이다. 그들은 내게 물었었다. "한경환 알지. 한경환이 어디 있어?" 그들은 경환이를 찾기 위한 수사를 벌이던 중 나를 찾아온 것뿐이다. 나는 아무런 죄도 없다. 나는 다만 한경환의 친구일 뿐이다. 나는 경환이와는 달리 학생 운동에 참가한 일도 없다. 그 흔한 시위에도 참가한 사실조차 없다. 나는 그저 평범한 학생일 뿐이다. 경환이가 전국대학생연합회의 중요한 간부라는 사실에 대해서는 막연히 알고 있었지만 우리들의 우정은 이념으로 맺어진 인연이 아니라 다만 같은 학과의 친구인 것이다.

그러나.

그는 두 눈을 가린 채 잠시 망설였다.

지난 주 경환이가 내 방을 찾아와 사흘 간 머물렀던 사실을 어떻게 할 것인가. 그들에게 고백할 것인가. 아니면 끝까지 숨길 것인가. 그는 알고 있었다. 경환이의 눈빛이나 몸짓으로 보아서 경환이가 수배 중이며 따라서 남의 눈을 피해 은신처로 자신의 쪽방을 선택해 찾아왔음을. 경환이는 전화를 걸기 위해서 나간 경우를 제외하고는 하루 종일 그의 닭장에서 자고, 먹고 그리고 술을 마셨다. 경환이는 그가 학생 운동과는 전혀 상관이 없는 평범한 학생이라는 사실에 대해서 오히려 더 해방감을 느끼는 것 같았다. 두 사람은 한 침대에서 잤다. 서로 간지럼을 태우고는 깔깔거리며 웃기도 하였다. 밥은 주로 닭장 안에서 라면으로 때웠다. 사흘째 되는 날 경환이는 그에게 돈이 있으면 좀 달라고 하였다. 그가 있는 대로 돈을 집어주자 "고마워" 하고 말하였다. 그리고 그가 보는 앞에서 경환이는 놀랍게도 여장을 하였다. 수염을 깎고 다리털도 면도칼로 밀었다. 경환이는 가발을 쓰고 스타킹까지 신었다. 정성들여 얼굴에 화장품을 바르고 입술에 립스틱을 그렸다. 향수까지 뿌리고 가슴에는 부풀어오르도록 스펀지를 넣었다. 워낙 예쁘장한 얼굴이지만 경환이는 한순간에 여자로 변하였다. 경환이의 변신술이 놀랍기보다는 오히려 슬퍼서 그는 눈물을 흘렸다. 저렇게까지 변장을 해서 신분을 숨기지 않으면 안 될 만큼 철저하게 수배를 받고 있는 친구 경환이가 불쌍하고 안쓰러웠기 때문이었다.

"난 간다."

완벽에 가까운 여장과는 달리 굵은 목소리로 경환이가 악수를 나누며 그렇게 말하였다.

"다시 만나자."

그는 상가의 유리창 너머로 여장을 하고 네온의 불빛 사이로 걸어가는 경환이의 뒷모습을 울면서 지켜보았었다. 그는 이제 어디로 가고 있는 것일까. 어디로 도망치고 있는 것일까. 그리고 그는 언제까지나 잡히지 않고 이 숨바꼭질 놀이를 끝낼 수 있을 것인가.

그때였다.

"내려."

목적지에 다 온 듯 차는 멎고 양 옆에서 그를 결박한 사내가 짧게 명령하였다. 그는 비틀거리며 차에서 내렸다. 여전히 밤비가 내리고 있었는지 차가운 빗방울이 이마 위에 비수처럼 내리꽂히고 있었다.

차에서 내리는 순간 그는 자신이 무척 낯설고 외딴 섬에 불시착한 느낌을 받았다. 비록 눈은 가려졌지만 낯선 사람들에 의해서 이곳까지 차에 태워져 연행당해 오는 동안에도 끊임없이 들려오는 거리의 소음과 비에 젖은 도시의 익숙한 냄새 때문에 생경한 느낌을 받지 않고 있었던 것이다.

그러나 목적지에 도착하여 차에서 내린 순간 그는 본능적으로 뭔가 섬뜩한 느낌을 받았다. 우선 조용했다. 지나치게 주위가 조용했다.

아득한 빗소리 속에서 새의 울음 소리 같은 것이 섞이고, 동시에 향긋한 나무 냄새 같은 것이 나는 것으로 보아 이곳이 도시로부터 격리된 공간이며 주위에 숲과 나무들이 우거진 장소임을 알 수 있었다. 그를 에워싼 두 사람의 태도가 한층 거칠어졌다. 비가 쏟아지고 있는 운동장 같은 곳을 가로질러 건물 안으로 들어섰다. 그는 계단에 걸려 복도에 쓰러졌다. '일어나라'는 명령도 없이 누군가 거세게 그의 옆구리를 걷어찼다. 그는 비명을 지르며 일어섰다. 일체의 모든 명령은 폭력에 의해서 이루어지고 있을 뿐 한결같은 침묵이 계속 이어지고 있었다.

그는 긴 복도를 계속 걸었다. 그곳을 복도라고 느낀 것은 그의 발소리가 메마른 건물에 메아리쳐서 울리고 있었기 때문이었다. 깊은 밤중이어서 건물은 텅 비어 있었으므로 복도를 걸어가는 발소리가 건물 전체에 반향(反響)을 일으키고 있었다.

어느 순간 그 메아리가 끊겼다. 그리고 계속 계단을 따라 밑으로 내려가는 기분이 들었다. 그는 본능적으로 숫자를 세었다. 하나 둘 셋 넷 하고 그 계단의 숫자를 세었다. 그것은 그의 버릇이었다. 육교를 오르내릴 때도 그는 숫자를 세는 버릇이 있었다. 그는 짝수보다 홀수를 좋아하고 있었으므로 가능하면 계단 끝부분이 홀수에서 끝나기를 원하고 있었다. 때문에 눈대중으로 짝수에서 계단이 끝날 것 같으면 어느 순간 계단 두 개를 한꺼번에 건너뛰어 인위적으로라도 홀수에서 끝내는 버릇까지 있었다.

계단은 끝이 없는 것 같았다.

열두번째에서 일단 끝이 났지만 다시 층계참을 거쳐 또 다른 계단이 이어지고 있었다. 눈을 가린 채 그는 생각했다.

차가 멎은 곳은 운동장과 같은 평지였다. 차가 어떤 고가도로를 달려온 것이 아니므로 그는 지금 지상에서 지하로 계단을 타고 내려가는 것이다. 그의 예상은 적중했다. 계단을 내려갈수록 습기 냄새가 풍겨오고 싸늘한 냉기 같은 것도 느껴졌다.

계단이 끝이 났는지 다시 복도가 계속되었는데 더 이상 발소리는 메아리치지 않고 오히려 싹둑싹둑 끊기고 있었다.

덜컹, 육중한 철문 같은 것이 열렸다. 그는 방 안으로 들어섰다. 뭔가 앞에 장애물이 있어 그는 또다시 쓰러졌다. 쓰러짐과 동시에 그는 빠르게 몸을 일으켜 세우며 일어섰다. 조금이라도 시간을 끌다가는 그대로 무자비한 폭력이 날아들 것 같았기 때문이었다. 손끝에 자신을 쓰러뜨린 장애물이 만져졌다. 그것은 의자였다.

"앉아."

누군가 짧게 명령을 했다. 그는 더듬거리며 그 의자에 앉았다.

"어떻게 할까요?"

또 다른 목소리가 들려왔다.

"묶어."

다시 누군가 짧게 명령하자 질긴 밧줄이 그의 두 손을 단단하게 결박하고 그의 두 다리를 묶었다. 그는 자신의 두 다리가 어떤 딱딱한 물체와 함께 묶이고 있음을 느꼈다. 고정된 말뚝에 매이면 일정한 거리 이상을 도망칠 수 없는 염소처럼 그의 두 다리는 고정된 물체와 함께 묶여 결박된 모양이었다. 그들은 단단하게 묶였는가를 다시 확인한 후 어느 순간 함께 사라졌다. 철문이 다시 닫히더니 열쇠로 문밖에서 걸어 잠그는 듯한 금속성 소리가 났다. 제대로 잠겼는가를 확인하듯 두세 번 문을 잡아당기는 소리와 함께 저벅이는 발소리가 멀어졌다. 그 발소리가 희미해지고 곧 사라지자 무서운 정적이 찾아왔다.

차라리 발길에 채는 고통이 있더라도 그들과 함께 있는 편이 훨씬 마음이 놓였었다. 그러나 발소리가 사라지고 납덩어리와 같은 무거운 침묵이 다가오자 그는 순간 공포를 느꼈다.

어디가 어디인지 모르는 낯선 공간에서 그는 눈이 가려진 채 홀로 앉아 있다. 두 손은 묶여 있고 두 다리는 고정된 물체에 함께 묶여 있다. 내가 있는 곳은 도대체 어디인가. 지상에서 한없이 내려가는 어둠의 지하 세계인가. 아니면 햇볕이라고는 전혀 들어오지 않는 암흑 세계의 지옥인가.

카프카의 소설 『심판』이었던가. 그 소설 속에서 주인공 K는 어느 날 아침 느닷없이 침대 속에서 낯선 사람들에 의해서 체포된다. 은행의 평범한 영업 주임이었던 K는 체포된 후로부터 자신의 무죄를 증명하려고 온갖 노력을 다하지만 어느 날 아침에 느닷없이 체포되었듯 어느 날 아침에 처형당하고 만다. 소설 속에서 작가 카프카는 K의 죽음을 다만 이렇게 묘사하고 있었던 것이 기억된다.

'K는 개새끼처럼 처형되었다.'

나도 마찬가지 아닌가. 나도 지난밤 느닷없이 침대 속에서 낯선 사람들에 의해서 체포되었다. 나도 내 자신의 무죄를 증명하려고 온갖 노력을 다하지만 결국 어느 날 아침 처형되고 익명의 K처럼 이 부조리한 현실 속에서 개새끼처럼 죽어가는 것은 아닐까.

그의 신체 중에서 비교적 자유로운 것은 두 손뿐이었다. 다리는 단단한 고정 물체에 연결되어 있어 한 발짝도 움직일 수 없는 대신 두 손은 비교적 자유로웠다. 그는 결박된 두 손을 허공으로 움직여보았다. 뭔가 손끝에 걸렸다. 그는 그 물건을 두 손으로 더듬어보았는데 그것은 책상이었다. 그제야 그의 두 다리가 결박된 것이 책상 앞에 놓인 의자임을 알 수 있었다. 그는 두 손을 책상 위에 올려놓았다. 그러자 조금 마음이 안정되었다.

이곳은 무서운 곳이 아니야. 사람을 가둬놓는 감방이거나, 사람을 고문하는 밀실이 아니야. 고문하는 밀실이라면 이처럼 책상과 의자가 놓여 있을 리가 없겠지. 책상과 의자가 놓여 있는 곳이라면 뭔가를 묻고 쓰는 사무적인 공간인 셈이지.

그러나 그런 생각은 스스로를 일부러 달래기 위한 자기만의 위안에 지나지 않았다. 그는 또다시 무서워졌다. 한 가지 생각이 떠오르면 거기에 따른 공포가 시작되고 그 공포를 다시 마음으로 달래면 또 다른 공포가 시작되는 공포의 연속 게임과도 같았다. 주위가 너무 조용했으므로 자신의 숨소리와 자신이 움직일 때마다 일어나는 미세한 공기의 떨림 같은 것들이 느껴졌다. 그러자 그는 자신의 눈은 계속 가려져 있지만 입은 자유로운 것을 새삼스럽게 깨달았다. 그래서 그는 입을 열었다. 그리고 가만히 말해보았다.

"여보세요."

그는 조그만 소리로 속삭여 말하였다. 그러나 숨죽여 말한 그 목소리가 자신에게 더 깊은 절망감을 일으켰다. 그래서 그는 또 다시 혼잣말을 계속했다.

"거기 누구 없어요. 거기 아무도 없어요?"

그 누구도 대답하지 않았다. 대답이 없는 것은 너무나 당연한 일이었다. 입을 열어 말한 자신의 목소리가 오히려 이 세상으로부터 철저하게 격리되었다는 소외감을 더욱 심화시키고 있었다. 그래서 그는 용기를 내어 소리를 높여 말하였다.

"여보세요. 거기 누구 없어요?"

그는 말하고 귀를 기울였다. 그때였다. 무슨 소리가 있었다. 그는 전율을 하면서 숨을 죽이고 귀를 기울였다. 뭔가 그의 목소리에 대답하듯 희미한 소리가 이어지고 있었다. 그는 그 소리가 무엇인지 알려고 필사적으로 귀를 모았다. 그 소리는 일정한 간격을 두고 되풀이되고 있었다. 혹시 시계 속에서 나는 초침 소리가 아닌가 결박된 두 손을 귀로 가져가 들었지만 그는 깜빡 잊고 시계를 차지 않고 체포된 것을 깨달았을 뿐이었다.

그렇다면 저 소리는 무엇인가.

저 일정하게 반복되는 투명한 소리는 무엇인가. 벽면을 기는 다족류 벌레의 발소리인가. 아니면 알 수 없는 미지의 암흑 세계에 살고 있는 식인충의 심장 박동 소리인가.

어느 순간 그는 그 소리가 어떤 소리인가를 알 수 있었다. 그것은 물방울 소리였다. 꽉 잠그지 않은 수도꼭지에서 한 방울씩 떨어지는 물방울 소리였다. 그는 생각했다. 어째서 물방울 소리가 나고 있는 것일까. 습기찬 지하실의 천장 벽에 맺힌 물방울 소리와는 다르게 조금 고인 듯한 물 위에 연속적으로 떨어지는 투명한 물방울 소리. 그 소리는 분명 물이 고인 욕조 위에 떨어지는 물방울 소리임에 틀림이 없다. 간단히 손을 씻도록 만든 세면대 위에 떨어지는 건조한 물방울 소리가 아니라 몸을 씻기 위해 만들어놓은 물 고인 욕조 위에 떨어지고 있는 물방울 소리. 그렇다면 이곳은 도대체 무엇을 하는 곳일까.

책상과 의자와 동시에 욕조와 수도꼭지가 함께 놓여 있는 방. 그 물소리를 듣는 순간 그는 견딜 수 없이 타오르는 갈증을 느꼈다. 그는 견딜 수 없는 갈증으로 몸을 물소리가 나는 쪽으로 끌어당겨보았다. 결박 지은 다리와 함께 묶인 의자가 약간 앞으로 이동하였다. 그제야 그는 다리의 결박이 자신의 행동을 부자유스럽게는 하지만 완전히 식물인간처럼 움직이지 못하게 구속하지는 않는 것을 알 수 있었다. 그는 물소리가 나는 곳으로 의자를 움직였다. 방 안은 생각보다 좁았다. 몇 번의 움직임으로 그의 몸은 곧 벽에 부딪혔다. 그는 물소리가 나는 방향으로 손을 더듬어보았다. 과연 생각했던 대로 방 한구석에는 욕조 같은 것이 만들어져 있었고 수도꼭지로부터 계속 물방울이 떨어지고 있었다. 그는 두 손바닥을 펼쳐 떨어지는 물을 받았다. 참을성 있게 기다리자 손바닥 속에는 물이 제법 차올랐다. 그러나 마시는 것이 문제였다. 행동이 부자연스러웠으므로 애써 받은 물이 반 이상 쏟아졌다. 그러나 그런대로 갈증은 어느 정도 해결되었다.

2

물을 마시고 나서 그는 생각했다.

이곳은 밀실이다. 책상과 의자가 놓여 있는 것을 보면 이곳은 고문을 하거나 사람을 가둬놓는 감방은 아니다. 아마도 이곳은 질문하고 거기에 따른 답변을 하는 취조실일 가능성이 높다. 그러나 저 벽에 만들어진 욕조와 수도꼭지는 무엇인가. 취조를 하다가 지치면 간단하게 몸을 씻기 위해서 만들어놓은 간이 목욕시설인가. 단순히 손을 씻거나 양치질을 하는 세면대가 아니라 욕조까지 만들어져 있는 것을 보면 분명히 뜨거운 물을 받고 그 속에 들어가 목욕까지 할 수 있는 시설인 것이다.

그런데.

그는 순간 생각했다.

욕조에는 왜 물이 고여 있는 것일까. 누가 뜨거운 물을 받고 목욕을 한 후 물마개를 뽑아 그 물을 버리지 않고 그대로 내버려 두었던 것일까.

그러나 그는 그 물이 무엇을 의미하는지 곧 알게 되었다. 그 물은 몸에 묻은 더러운 때를 씻어내리기 위한 목욕물이 아님을 알게 되었던 것이다. 그 물은 그에게 있어 강이나 바다였다. 그는 곧 알게 되었다. 그리고 그 물은 그에게 씻을 수 없는 영혼의 상처가 되었다. 그는 그 물 속에서 익사하였다. 한 사람이 들어가기에도 좁은 욕조가 그에게 있어 태평양보다 넓은 바다로 변해버리는 것을 그는 조금 후에 알게 되었다. 헤엄을 치고 또 헤엄을 쳐도 그 좁은 바다를 벗어날 수가 없었다. 마치 헤엄을 치고 또 쳐봐도 어항을 벗어날 수 없는 금붕어처럼. 그 물 속에서 살아남는 유일한 방법은 그가 물고기가 되는 길뿐이었다. 그러나 불행하게도 그는 아가미를 가진 물고기가 아니었다. 그는 허파를 가진 짐승이었으므로 물속에서는 호흡을 할 수 없었다. 그러므로 물은 그에게 있어 죽음 그 자체였다.

그는 다시 책상 위에 손을 얹어놓았다.

그를 체포하고 이곳까지 호송해왔던 사람들이 사라진 지 도대체 얼마나 되었는지 시간을 가늠할 수가 없었다. 몇 날 며칠이 흘러가버린 것 같기도 하고 불과 몇 분밖에 되지 않은 것 같기도 하였다.

시간 감각이 마비되어 공간 개념도 또한 사라진 모양이었다. 그는 우두커니 앉아 있었다. 그러나 가만히 앉아 있다는 그 자체가 두려웠으므로 그는 두 손을 움직여 책상 위를 더듬어보았다. 책상 위에는 아무것도 놓여 있지 않았다.

그 순간 그는 다른 부분에 비해서 자신의 손이 비교적 자유롭다는 사실을 깨달았다. 그는 막연히 자신의 온몸 전체가 결박되어 있다고 생각하고 있었다. 두 다리는 의자와 함께 묶이고 두 눈은 안대로 가려져 있고 두 손마저 노끈으로 묶여 결박되어 있다고만 생각되었다. 그러나 두 손은 손목 부분만 함께 묶였을 뿐 무엇을 만지고, 더듬고, 확인하는 데는 전혀 불편이 없을 정도로 자유로웠던 것이다. 따라서 그가 원한다면 두 손을 얼굴 뒤쪽으로 가져가 손가락을 움직여 그의 두 눈을 가리고 있는 매듭 부분을 풀어버릴 수도 있을 것 같았다.

그는 실제로 결박된 두 손을 얼굴 뒤쪽으로 움직여나갔다. 손쉬운 일이었다. 그제야 그는 자신의 두 눈을 가렸던 안대의 실체를 알 수 있었다. 그것은 넥타이였다. 그를 체포하러 온 사람 중의 누군가가 아마도 그의 방 옷장 속에서 그의 눈을 가릴 안대를 대신할 물건으로 넥타이를 골라낸 모양이었다. 넥타이의 끝부분이 세 겹 네 겹으로 단단하게 매듭지어 있었다.

그는 손가락을 움직여 그 매듭을 풀어보았다. 의외로 간단하게 매듭이 풀렸다. 그러나 그는 무심코 첫번째 매듭을 풀고 나서 소스라치게 놀라면서 두 손을 다시 책상 위로 가져갔다. 그의 가슴은 무섭게 뛰고 있었다.

물론 그는 하려고만 마음을 먹으면 손쉽게 매듭을 풀어내리고 안대를 벗길 수 있다는 사실을 잘 알고 있었다. 안대를 벗길 수만 있다면 눈을 뜨고 이곳이 도대체 어떤 곳인가를 살펴볼 수가 있을 것이다.

그러나 그것이 무슨 소용이 있는 것일까. 이곳이 도대체 어떤 곳인가를 두 눈으로 확인할 수 있다 하더라도 그것이 나를 이 밀실에서 풀려나게 해줄 수는 없는 것이 아닌가. 그보다도 그들은 안대로 내 눈을 가림으로써 나를 봉인(封印)하였다. 그러므로 나는 그들에게 가압류(假押留)된 것이다. 만약에 내가 그들의 허락을 받지 않고 내 손으로 그 안대를 벗어버린다면 그들이 집행한 봉인의 표시를 손상시킴으로써 보다 심한 분노를 일으키게 되어 보다 심한 보복을 당하게 될지도 모른다.

그는 두려웠다. 그래서 그는 두 손을 다시 머리 위로 올려 한결 풀었던 매듭을 자신의 손으로 다시 묶고 원상 복구해두었다.

그때였다. 갑자기 정적을 깨뜨리듯 무슨 소리가 들려왔다. 그는 혼신의 힘을 다해 그 소리에 귀를 기울였다. 그러나 그 소리는 한순간에 사라져버렸다. 무슨 소리였을까. 그는 숨을 죽였다. 그리고 기다렸다. 오랜 침묵 끝에 정적을 깨뜨렸던 그 소리가 또 다시 이어졌다. 그 소리는 벽 너머에서 들려오고 있었는데 한마디로 비명이었다. 고통을 참지 못해 지르는 단말마(斷末魔)의 비명이었다. 불교에서는 숨이 끊어질 때의 고통을 단말마라고 하였던가. 그 소리는 살아 있는 사람의 비명이 아니었다. 그것은 아비규환의 지옥 속에서 들려오는 절규 소리였다. 육체가 허락

할 수 있는 마지막 고통의 벼랑 끝에 서서 부르짖는 외마디 소리였다.

"아악, 아아아악."

그는 순간 소름이 끼치는 것을 느꼈다. 그 비명은 무언중에 그에게 공포를 불러일으키고 있었다. 저 비명은 다른 사람의 비명이 아니라 조금 있으면 네 입에서도 흘러나올 수 있는 고통의 외마디 소리일 수도 있을 것이라고 무언중에 협박을 하고 있는 것 같았다.

그는 몸을 떨면서 생각했다.

인간이 어떻게 저런 비명을 지를 수 있을까. 누군가 무자비하게 때리고 있는 것일까. 무자비한 폭력에도 저런 외마디 소리는 흘러나오지 않는다. 그러면 도대체 어떻게 인간을 다루고 있는 것일까. 천장에 거꾸로 매어달려 있는 것일까. 아니면 인간의 몸에 전류를 흘려 넣어 인간을 통닭처럼 전기 고문하고 있는 것일까.

"아악, 아아아악."

비명이 계속 이어지고 있었다.

순간 그는 생각했었다.

차라리 지금 이 순간 내 손으로 안대를 풀고 스스로 묶인 손과 발의 결박을 풀고 이 밀실을 도망쳐버리자. 저 지하실의 복도를 달려 계단을 뛰어올라 이 무시무시한 정체 불명의 건물을 빠져나가 비가 쏟아지고 있는 바깥으로 도망쳐버리자. 저 무시무시

한 비명을 듣고 있느니 차라리 붙잡히는 한이 있더라도 도망치는 편이 나을 것이다.

그는 미칠 것만 같았다. 그래서 그는 발작적으로 그 손을 들어 자신의 얼굴 뒤로 가져가 안대를 풀기 시작하였다.

그때였다.

아득히 먼 철문 밖 복도 끝에서부터 희미한 발소리가 들려오기 시작하였다. 그 발소리는 점점 그가 있는 방으로 다가오고 있었다. 한 사람이 걷는 발소리가 아니라 서너 사람이 한꺼번에 떼지어 걸어오는 발소리였다. 그 소리는 그가 있는 방 앞에서 멈춰섰다. 짧은 침묵 끝에 뭔가 덜그덕거리는 금속성 소리가 나더니 곧 찰칵 하고 철문이 열렸다. 동시에 서너 사람이 방 안으로 쏟아져 들어왔다.

"최성규."

누군가 거친 소리로 그에게 소리쳤다.

"예."

그는 본능적으로 크게 대답하였다.

누군가 그의 손과 발에 묶인 결박을 풀어주었다. 동시에 그의 눈에 가렸던 안대도 풀어내렸다. 안대를 푼 순간 너무나 밝은 빛이 한꺼번에 눈동자 속으로 파고들었으므로 그는 자신도 모르게 두 손으로 얼굴을 가렸다.

"손 내려."

누군가 짧게 명을 내렸다. 그는 손을 내렸다.

"눈을 떠 이 새끼야."

그는 눈을 떴다. 그러나 상상할 수 없는 엄청난 광력이 그의 얼굴을 한꺼번에 비추고 있었으므로 그는 도저히 눈을 뜰 수가 없었다. 그것은 오랫동안 눈을 가려 자연적으로 어둠에 익숙해져 있다가 한순간 빛을 받아들인 충격 때문이 아니었다. 뭔가 강력한 스포트라이트와 같은 백열 광선이 그의 두 눈을 집중적으로 비추고 있었기 때문이었다.

그 순간 그의 온몸은 무자비한 폭력에 휩싸였다. 그는 발길질에 차여서 콘크리트 바닥 위에 쓰러졌다. 그는 일어설 수가 없었다. 연달아 서너 명의 사내들의 발길질과 주먹이 날아오고 있었기 때문이었다. 이상하게 아프다는 느낌은 오지 않았다. 아프다는 고통이 없이 육체가 찢어지는 느낌이었다. 마치 가을철 걷어들인 곡식의 이삭을 작대기 같은 것으로 때리면 낟알이 떨어져 내리듯 그의 육체가 으깨어져 껍질은 부서져나가고 그의 육체는 도리깨에 의해 타작(打作)되고 있었다.

까무룩 의식이 멀어져가고 있었다.

이렇게 죽어가는군.

희미하게 남아 있는 의식의 끝자락을 간신히 부여잡고 그는 자신이 수술대 위에 놓인 마취 환자의 혼수 상태처럼 서서히 죽어가고 있다고 생각하였다.

"아악. 아아악."

그는 비명을 질렀다. 귀를 찢는 자신의 비명이 조금 전에 들었던 소리와 똑같은 외마디 소리라는 것을 깨닫는 데는 오랜 시간이 걸리지 않았다. 그는 완전히 정신을 잃었다.

3

그가 정신이 든 것은 잠시 후였다.

그는 자신의 얼굴에 누군가 차디찬 물을 적시고 있다는 느낌을 받았다. 그는 눈을 떴다. 그의 눈앞에 물이 쏟아지고 있는 샤워 꼭지가 보였다. 얼음처럼 차디찬 물이었다.

그는 순간 자신이 왜 이곳에 있는가 어리둥절하였다. 그는 여기가 어딘지 알 수가 없었다. 내가 왜 여기에 있는 것일까. 이 낯선 방과 이 낯선 사람들은 도대체 누구인가. 이들은 왜 내 얼굴에 물을 끼얹고 있는 것일까.

"정신이 들었나 보군."

그의 움직임을 지켜보던 누군가의 목소리가 들려왔다.

"정신이 들었나 봅니다."

"의자에 앉혀."

그의 얼굴과 머리카락은 온통 젖어 있었다. 명령을 받은 사람이 그를 부축하여 일으켰다. 그 순간 그는 비명을 질렀다. 온몸의 관절이 토막토막 부러져나간 듯 한꺼번에 통증이 엄습해왔기 때문이었다.

"아아."

그는 고통으로 인해 몸을 비틀었다. 그는 좀 전에 자신이 무자비한 집단적인 폭력에 의해서 정신을 잃었었다는 사실을 깨달을 수 있었다. 그제야 비로소 이 낯선 방이 자신이 체포되어 끌려온 밀실이라는 느낌이 들었다. 책상 위에는 여전히 눈부신 백열등이 켜져 있었고 그 건너편에는 누군가 앉아 있었다. 젖은 머리카락에서 물이 얼굴 위로 계속 떨어지고 있었으므로 그는 제대로 눈을 뜰 수가 없었다.

"수건을 갖다 줘."

백열등 건너편에 앉아 있던 사람이 부드럽게 말하였다. 누군가 그에게 마른 수건을 건네주었다. 좀 전에 그를 집단 폭행하였던 사람들은 모두 그 사람의 명령에 일사불란하게 움직이고 있었다. 그런 것으로 보아 맞은편 의자에 앉아 있는 사람은 그들의 직속상관이었던 모양이었다.

"얼굴을 닦아."

여전히 그 사내가 말하였다. 그는 수건으로 얼굴과 젖은 머리카락을 닦아내렸다. 얼굴을 닦는 동안 그는 자신의 얼굴이 걸레처럼 찢어져 엉망이 되어버린 것을 알 수가 있었다. 그가 얼굴을 다 닦기를 기다려 그 사내가 말하였다.

"다들 나가 있어."

그 사내가 명령을 내리자 그를 에워싸고 있던 사람들이 소리 없이 방을 빠져나갔다. 방 안은 바늘이 떨어지는 소리라도 들릴 만큼 조용해졌다. 사내는 말없이 담배를 피워 물고 있었다. 의자 위에 손을 얹고 있었는데 오른쪽 손가락 사이에 꽂힌 담배에서 푸른 연기가 모락모락 피어오르고 있었다. 담뱃재가 수북이 고여 있는데도 사내는 그 담배를 빨아들일 생각도 없이 침묵을 지키며 앉아 있었다. 그 사내와 그의 간격은 테이블만큼이나 가까웠지만 그 사이를 눈부신 백열등이 가로막고 있었으므로 그 사내의 모습은 전혀 보이지 않았다. 안경을 쓴 부분만이 선명하게 떠오르고 있었던 것은 안경의 금속 부분이 백열등 불빛을 반사하며 빛나고 있었기 때문이었다.

"담배를 피우나?"

사내는 오랜 침묵 끝에 입을 열어 말하였다. 그는 대답 대신 머리를 끄덕였다.

"자, 한 대 피우지."

사내는 담뱃갑과 휴대용 라이터를 그가 앉은 책상 앞으로 밀어놓았다. 그는 담뱃갑에서 담배 한 대를 빼들었다. 그러나 손이 떨려서 담배를 쉽게 뽑아낼 수가 없었다. 간신히 담배를 한 개비 입에 물었지만 라이터를 켤 수가 없었다. 온몸에 힘이란 힘은 모두 빠져나가 라이터의 불조차 일구어낼 수 없을 만큼 무기력했기 때문이었다. 그의 행동을 유심히 살펴보던 사내는 자기가 대신 라이터를 켜서 담뱃불을 붙여주었다. 그는 담배 연기를 빨아들였다. 콜록콜록 기침이 나왔다. 기침을 하자 옆구리가 결리고 가슴이 찢어지는 듯하였다.

“간단하게 내 소개부터 하지. 내 이름은 에스야. 알파벳의 에스S가 바로 내 이름이지. 명문 대학의 학생이니까 잘 알겠지. 악마가 영어로 뭐지?”

그는 콜록콜록 담배를 피우며 대답하였다.

“데블입니다.”

“데블은 조무래기 악마라 할 수 있지. 악마의 왕은 마왕이라고 부르는데 마왕은 영어로 사탄Satan이라고 부른다. 내 이름은 에스, 바로 마왕을 가리키는 사탄의 약자지.”

순간 그 사내는 소리내어 웃기 시작하였다. 그 웃음 소리는 마치 입으로 비눗방울을 뿜어내는 것처럼 메마르고 건조하였다. 전혀 감정이 섞이지 않은 웃음 소리였다. 그러나 그는 그 사내의 웃음 소리에 소름이 끼치는 것을 느꼈다. 그는 피우던 담배를 반도 피우지 못하고 재떨이에 눌러 껐다.

“나는 너희들과 같은 빨갱이 놈들을 잡아들이는 저승사자, 즉 악마의 왕, 사탄이지. 그래서 사람들은 나를 에스라고 부르고 있다. 앞으로 나를 부를 때는 그냥 에스라고 부르면 된다.”

S의 목소리는 높낮이가 없었다. 그는 마치 국어책을 낭독하듯 말을 하고 있었다. 높지도 낮지도 않은 일정한 톤을 유지하고 있었다.

“내 말을 잘 들어라. 최성규. 나는 너를 괴롭힐 생각이 전혀 없다. 네가 이곳에서 지금 당장이라도 풀려날 수 있는가, 아니면 평생을 이곳에서 갇혀 있다가 썩어서 죽어 나가느냐는 전적으로 네가 우리에게 얼마나 협조하느냐에 달려 있는 것이다. 네가 우리를 도와주는 것은 오직 한 가지 방법뿐이다."

S는 부드럽게 말하였다. 그는 마치 우는 아기를 달래는 유치원 보모 같았다.

"너, 한경환이 알지?"

"아, 압니다."

그는 대답하였다.

"둘이는 어떻게 된 사이야?"

"친구 사이입니다."

"그냥 친구 사이일 뿐이야?"

"그, 그렇습니다."

"한경환이 어디 있어? 한경환이 있는 곳을 말해봐."

그는 헐떡였다. 그는 믿어달라는 표정으로 백열등 저편의 S를 쳐다보았다.

"모, 모릅니다."

"생각해봐. 가만히 생각해보면 기억이 날 거야. 지금은 겁도 나고 당황해서 갑자기 기억이 떠오르지 않을지 몰라. 가만있자. 그래, 자네 음악 좋아해? 마음을 달래기 위해서는 음악이 최고지. 어떤 음악을 좋아해? 아무래도 유행가보다는 고전 음악이 좋겠지."

S는 자리에서 일어났다. 그의 뒷자리 어딘가에 휴대용 카세트 라디오가 놓여 있었던 모양이었다. 버튼을 누르자 노래가 흘러

나오기 시작하였다. 피아노 소리였다.

"이 음악이 무슨 음악인 줄 아나?"

"모릅니다."

"쇼팽의 피아노 모음곡이지. 쇼팽을 피아노의 시인이라고 부르는 것은 잘 알고 있겠지. 지금 흘러나오고 있는 것은 마주르카지. 쇼팽의 고향 폴란드의 민속 음악에서 따온 낭만적인 피아노 연주곡이지. 들어봐, 멋지지 않아?"

S는 자신이 마치 피아노를 치고 있는 것처럼 책상 위의 한 부분을 건반처럼 두들겼다. 피아노의 맑고 경쾌한 연주 소리가 살벌한 밀실을 맴돌고 있었다. 그러나 그것은 마치 부조리 연극 무대 위에서 울려 퍼지는 불협화음의 배경 음악과도 같이 전혀 어울리지 않았다.

S는 서랍 속에서 무엇인가를 꺼내서 그의 앞으로 밀어놓았다. 그것은 볼펜 한 자루와 백지 한 장이었다.

"음악을 들으면서 마음을 가라앉히고, 그 종이 위에 간단하게 써봐. 지금 한경환이가 있는 곳을 종이 위에 쓰기만 하면 돼. 네가 한경환이 있는 곳을 발설한다고 해서 그것이 친구를 배반하는 것이 아니야. 오히려 그것이 한경환이를 도와주는 길이지."

"모릅니다. 저는 지금 경환이가 어디 있는지 모릅니다."

"모르면 모른다고 그 종이 위에 써."

그는 할 수 없이 볼펜을 집어들었다. 그는 아무것도 쓸 수가 없었다. 그는 실제로 경환이가 그의 집에 사흘 간 머물고 있다가 어디로 사라져버렸는지 그 행방을 모르고 있었다. 경환이는 그가 보는 앞에서 여장을 하고 사라져버린 것뿐이었다. 그는 볼펜을 들고 백지 위에 천천히 쓰기 시작하였다.

'저는 한경환이가 어디로 갔는지 아무것도 모르고 있습니다.'

그것뿐이었다. 더 이상 쓸 문장이 떠오르지 않았다. 그가 머뭇거리자 침묵을 지키고 있던 S가 백지를 잡아당겨 읽어보았다. 그러고 나서 그는 천천히 그 종이를 찢기 시작하였다. 그는 찢은 종이 조각에 라이터 불을 댕겼다. 다 타기를 기다려 S는 전화기를 들고 다이얼을 돌린 후 짧게 말하였다.

"이리 좀 오지."

S는 일어서서 라디오의 버튼을 눌러 껐다. 아아, 아아악, 벽 너머에서 울부짖는 비명이 또다시 들려오고 있었다.

"곧 기억나게 될 거야. 최성규. 곧 생각나게 될 거야."

노크 소리가 났다. 예, 하는 대답과 함께 문이 열리자 S가 조용히 명령하였다.

"이 친구가 생각이 떠오르지 않는다는데 자네들이 좀 도와줘야 되겠어."

"알겠습니다."

그들이 대답하자 S가 사라졌다. S가 사라졌다고 느낀 것은 S의 몸에서 풍겨오던 향긋한 화장품 냄새가 동시에 사라져버렸기 때문이다. S가 사라지자 사내들은 거칠게 그의 두 발을 의자의 다리와 함께 묶고 두 손을 결박하였다. 그리고 그의 머리를 마치 이발관에서 머리를 감을 때처럼 뒤로 젖혔다. 그의 눈앞에 커다란 주전자가 보였다. 주전자에는 물이 가득 들어 있는지 조금만 움직여도 물이 찰랑찰랑 쏟아지고 있었다. 그가 요동을 치지 못하도록 한 사람이 그의 젖힌 머리를 고정시키고 억지로 그의 입을 벌렸다. 그의 벌린 입으로 주전자의 물이 쏟아지기 시작하였다. 더도 덜도 아닌 일정한 양의 물이었다. 그 물이 벌린 입을 통해서 숨을 쉴 겨를도 없이 그의 목구멍을 타고 흘러내리기 시작하였다.

물과의 전쟁은 그렇게 시작된 것이었다.

4

물과의 전쟁.

밀실에 갇혀 있던 20여 일 동안은 처음부터 끝까지 물과의 전쟁이었다.

그는 끊임없이 자백을 강요받았다. 그러나 그는 사실 자백할 만한 그 어떤 비밀도 갖고 있지 않았다. 그는 그저 평범한 대학생에 불과하였다.

그 무렵 1980년에 일어났던 이른바 광주 민주화 운동이 좌절로 가라앉자 학생 운동은 완전히 실의와 무력감에 빠져 있었다.

그는 광주 민주화 운동이 가라앉은 다음 대학교에 입학한 83

학번 학생이었다. 그는 대학에 입학했을 때부터 운동권에는 관심조차 없었다. 그가 법과대학을 지망해서 운 좋게 합격했던 것은 온 집안의 큰 기쁨이었다. 지방 중소도시의 초등학교 교장 선생님이셨던 그의 아버지는 그가 법과대학에서 고시에 패스하여 법관이 되어주기를 간절히 바라고 있었고 그가 법과대학에 지망했던 것은 전적으로 아버지를 위시한 집안의 소망 때문이었다.

그가 대학교 2학년이 되었던 가을 무렵 학원가에는 지금까지 볼 수 없던 새로운 학생 운동의 물결이 태동하기 시작하였다. 서슬이 퍼렇던 신군부 독재 정권의 5공화국에서 최초로 민주화 운동 단체가 탄생되었던 것이다.

그의 친구 한경환이 이 단체에 가입한 것은 바로 그 무렵이었다. 이 단체는 출범하자마자 광주 문제를 본격적으로 이슈화하고 학생 운동권과 노동 운동권 안에 머물던 문제를 사회에 널리 알리는 한편 민주화 투쟁 방법을 둘러싼 논쟁을 공론화해서 이른바 '민족민주주의 혁명'이라는 이론을 주장하고 있었던 것이다.

이 '민족민주주의 혁명' 이론은 흔히 'NDR'로 불렸는데, 이 이론의 용공성을 빌미로 삼아 갑작스런 구속 사태가 시작되었으며 때문에 이 단체의 핵심 멤버였던 한경환이 수배를 받게 되었던 것이다.

그러나 그 정도가 그가 알고 있는 한경환을 둘러싼 학생 운동의 전부였다. 그와 경환이는 대학 입학 동기로 특별히 다른 학생에 비해 친했던 것은 둘 다 지방 중소도시 출신의 촌놈들이었기 때문이었다. 대학교 2학년 무렵부터 경환이는 학생 운동에 뛰어들기 시작하였으며 3학년에 올라가자 봄부터 경환이는 교내에서 벌어지는 각종 시위를 선두에서 지휘하는 핵심 간부로 성장하였지만 둘이 만나면 학생 운동과는 전혀 상관없는 일상적인 화제만 나누는 그런 다정한 친구 사이에 불과했던 것이다.

그러므로 그는 자백할 만한 비밀을 전혀 갖고 있지 않았다. 그는 '민청련'이니 'NDR'이니 하는 학생 운동의 용어조차 알고 있지 않았다. 그러나 그를 체포한 사람들과 그들을 지휘하는 S는 전혀 그의 결백을 믿어주지 않았다. 그들은 그를 대학생연합회의 핵심 지하조직 요원으로 파악하고 있었다. 그 이유로 그들은 이미 압수한 경환이의 수첩에서 그의 집 전화번호와 주소가 나왔을 뿐 아니라 둘이 함께 찍었던 사진까지 증거로 제시하고 있었는데 그 사진은 둘이서 서울 근교에 있는 서오릉에 가서 우연히 찍은 스냅 사진에 불과했다.

그들은 우선 백지 위에 그와 특별히 친한 친구의 이름을 열 명 이상 쓰라고 강요하였다. 그는 친한 친구의 이름을 쓰기 위해서 필사적으로 머리를 모았지만 세 명 이상의 이름은 쓸 수 없었다. 실제로 그는 내성적인 성격으로 같은 과 학생들과 특별한 우정을 맺지 못하고 있었기 때문이었다. 지방 중소도시 출신의 학생들은 영악스럽고 똑똑한 서울 출신이나 대도시 출신의 학생과는 어울리기 힘든 문화적 갭을 갖고 있었다. 그는 세 명 이상의 친구 이름을 쓸 수 없었다.

이로 인해 그는 두번째 물고문을 받을 수밖에 없었다. 그는 또 다시 두 팔이 뒤로 꺾여 의자의 뒷부분에 묶이고, 그의 두 다리는 의자 다리에 함께 묶여 결박한 다음 마치 이발소에서 손님의 머리를 감길 때 머리를 젖히듯 한 사내는 책상 위에 올라가 그가 꼼짝 못하도록 그의 뒷머리를 잔뜩 움켜쥐고 있었고, 다른 한 사내는 한껏 벌려진 그의 입에 한가득 담긴 주전자의 물을 퍼붓고 있었다.

이미 한 번 받았던 물의 고문이었다. 아아, 그 고통을 무엇에 비유할 수 있으랴. 그의 입에 물을 퍼붓는 물고문 기술자는 탁월한 재능을 갖고 있었다. 그는 더도 덜도 아닌 일정한 양의 물을 계속 그의 입 속에 밀어넣는 컴퓨터와 같은 정확한 속도감을 갖고 있었다. 머리는 한껏 뒤로 젖혀져 있었으므로 입을 다물려야 다물 수가 없었다. 자연히 벌어진 입은 그대로 물을 빨아들이는 배수구가 되어버린다. 어릴 때 기름집으로 심부름을 갈 때면 기름집 주인은 노련한 솜씨로 병의 아가리에 깔때기를 꽂아서 한 방울의 기름도 헛되이 흘려버리지 아니하였다. 마찬가지로 한가득 들어 있는 주전자의 물을 정확히 그의 입 속에 흘려 넣고 있음에도 불구하고 그 고문 기술자는 단 한 방울의 물도 허투루 낭비하지 않았다.

물은 그의 입을 통해 목구멍으로 식도로 그대로 콸콸 쏟아져 내리고 있다. 물은 그의 위장을 그대로 통과해서 장을 통과하고 있다. 막으려야 막을 수가 없다. 막아내려고 입을 악물고 입을 다물어보지만 그의 머리를 잡아당기고 있는 사내는 억센 힘으로 그의 입을 벌린다. 온몸으로 스며들어간 물이 그의 몸 속을 파고든다. 그의 혈관 속을 흐르는 붉은 피는 물에 의해서 조금씩 희석되며 그리하여 마침내 그의 모든 혈관 속으로 투명한 백색의 물이 흘러내린다. 혈관은 이제 물을 빨아들이는 수맥(水脈)이 되어버린다. '살려주세요' 하고 소리를 질러보려고 했지만 말조차 뱉을 수 없다. 물은 모든 소리를 차단시켜버린다. 물은 마침내 온몸을 적시고 그의 뇌리를 파고든다. 의식이 물에 씻겨나가고 모든 기억들이 부풀어오른다. 홍수가 난 풍경처럼 그의 기억들이 물 위에 둥둥 떠다닌다. 아버지의 얼굴이 물속에 둥둥 떠다니고, 돌아가신 어머니의 얼굴이 물속에 둥둥 떠다닌다. 자신의 몸에 뿌리가 내린 것처럼 느껴지기도 하고, 두 손에서 푸른 잎사귀가 돋아난 것 같은 착각을 느낀다. 숨은 쉬려야 쉴 수가 없다. 숨을 쉬기 위해서는 잠깐이라도 쏟아져 들어오는 물이 정지된 상태에서 공기를 들이마셔야 하는데 물은 항상 똑같은 양이 조절된 수도꼭지처럼 일정하게 쏟아져 들어오고 있었으므로 그는 더 이상 숨을 쉴 수가 없다.

그의 머리까지 차오른 물은 더 이상 빠져나갈 데가 없다. 그리하여 그의 몸은 분수가 되어버린다. 그의 귀와 코 그리고 성기를 통해 더 이상 참을 수 없는 물은 분수가 되어 온 방 안으로 솟구쳐나간다. 물이 곧 다리까지 차오르고, 무릎까지 차오르고, 마침내 온 방 안을 채우고 천장까지 차올라 방 안은 거대한 수족관이 되어버린다. 그의 몸에는 비늘이 돋기 시작하고 그의 두 손은 이제 지느러미로 변해버린다. 아아, 이제 난 살 수 있다. 난 이제 물고기가 되어버렸다. 물고기가 되었으니 물속에서도 아가미로 숨을 쉴 수 있다.

방 안에 있는 모든 것들이 둥둥 떠다닌다. 책상이 떠다니고, 의자가 떠다닌다. 그는 이제 자유롭다. 그의 두 손은, 아니 지느러미는 흐느적거리며 물속을 헤엄쳐나간다. 그는 헤엄을 치면서 방 안을 빠져나간다. 온 세상은 거대한 해일에 잠겨 지상에서 사라져버린 아틀란티스 대륙처럼 바다 밑에 침몰해 있다. 낯익은 서울 거리가 바다 속에 잠겨 있고, 그 사이를 열대어와 같은 차들이 떼를 지어 달리고 있다. 그 순간 갑자기 참을 수 없는 고통이 찾아온다. 이 고통은 무엇인가. 내가 지금 사람이 되기 위해서 마녀가 조제한 마약을 먹은 동화 속의 인어 공주처럼 꼬리가 찢어져 두 다리로 변해버리는 환상을 겪고 있는 것일까.

살려줘요. 살려주세요.

그는 두 손을 허우적거렸다. 그리고 순간 눈을 떴다. 그의 눈앞에 눈부신 백열등이 여전히 태양처럼 빛나고 있었다. 그 태양의 불빛 뒤에는 안경을 쓴 S가 앉아 있었다. 그는 여기가 어딘가 주위를 둘러보았다. 내가 헤엄치던 물들은 다 어디로 사라져버린 것일까. 내 몸에 돋은 비늘과 지느러미들은 어디로 사라져버린 것일까.

"기분이 어때?"

S는 여전히 우는 아기를 달래는 유치원 보모처럼 부드러운 목소리로 그에게 물었다.

"물을 더 먹이려는 것을 내가 그만두라고 만류했지. 이봐, 최성규."

S는 다정스레 그의 이름을 불렀다. 그러나 그는 아무런 대답도 할 수가 없었다. 그는 흐느껴 울기 시작하였다. 눈물은 그의 두 눈에서 끊임없이 흘러나왔다. 눈물이 그가 마신 물과 다른 것은 그것이 뜨겁다는 사실 하나뿐이었다. 그러나 그 눈물이 그를 더욱더 고통스럽게 하였다. 그 눈물이 스스로의 마음을 달래주기는커녕 더욱 심한 좌절감으로 몰아넣었을 뿐만 아니라 그를 고문하는 S에게 오히려 기쁨을 환기시켜주었기 때문이었다.

"울지 마, 최성규. 자네가 울면 내 가슴이 아파. 내게도 성규와 같은 남동생이 있다. 내가 왜 친남동생과 같은 성규를 이처럼 괴롭혀야 하는지 내 마음도 역시 괴로워. 자, 울지 마. 눈물을 닦아."

S가 부드러운 화장지 몇 장을 꺼내 그에게 내밀었다. 그는 그 화장지를 받아 눈물을 닦았다. 그는 그때 그 뜨거운 물이 이번에는 사타구니를 타고 흘러내리는 것을 느꼈다. 그는 어째서 뜨거운 눈물이 두 뺨을 타고 흘러내리지 않고 두 다리 사이에서 흘러내리는가를 의아하게 생각했다. 조금 후에 그는 자신이 옷을 입은 채로 오줌을 싸고 있다는 사실을 깨달을 수 있었다.

5

그가 S를 증오하게 된 것은 그 이후부터였다. S는 항상 그에게 마음을 달래는 부드러운 목소리와 함께 향긋한 화장품 냄새를 풍기며 나타나곤 했었는데 한바탕의 끔찍스런 물고문 뒤에 S가 모습을 드러내면 그는 구토감을 느끼곤 했었다. S는 절대로 그에게 폭력을 쓰지 않았다. 폭력뿐 아니라 단 한마디 욕설을 한 적도 없었다. S가 기껏 하는 욕설이래야 이런 식이었다.

"넌 빨갱이 놈이야."

우연히 S가 책상 위에 손을 올려놓고 이야기하고 있었는데 그의 오른손 중에서 네번째 손가락 마디 하나가 절단되어 있는 것이 눈에 띄었다. 그의 시선이 자신의 손가락에 멈춰 있는 것을 눈치 챈 S는 갑자기 이렇게 말하였다.

"봐라, 보다시피 내 오른손의 네번째 손가락 매듭 하나가 이렇게 절단되어 있다. 이것이 어디서 생긴 상처인 줄 알겠나. 알리가 없지. 내가 가르쳐주겠다. 이것은 내가 월남전에 참가했을 때 다친 상처지. 너희 같은 빨갱이 놈들과 목숨을 걸고 싸우다 얻은 일종의 훈장이라고 말할 수 있지."

S의 입에서 나오는 욕설은 그런 정도였다. 인격적인 모독도 그의 입에서는 흘러나오지 않았다. S는 완벽한 인격자였다. 그를 달래기 위해서 S는 담배를 주었으며, 어떤 때는 커피를 한 잔

주었다. 그때 마신 커피는 마약처럼 황홀했었다. 어떤 때는 종이 봉지에 싸인 박하사탕도 주었다. 또 어떤 때는 카세트 라디오를 틀어 쇼팽의 폴로네즈, 마주르카와 같은 피아노 모음곡을 들려주기도 했었다. 쇼팽의 음악에 심취하고 있었는지 어떤 때는 음악에 맞추어 책상을 피아노 건반처럼 두드리고 있었다. 그럴 때면 오른손의 절단된 네번째 손가락이 유난히 눈에 띄곤 했는데 그런 것으로 보아 S는 어느 정도 피아노까지 연주할 수 있는 음악적 재능까지 갖고 있는 사람처럼 보였다.

그러나 그는 알고 있었다.

S가 비록 그에게 폭력을 쓰지는 않지만 그에게 가해지는 모든 폭력, 모든 고문, 모든 고통의 근원에는 S가 존재하고 있음을 그는 잘 알고 있었다. 그를 고문하는 기술자들은 S의 로봇에 지나지 않았다. 그들은 명령받은 대로 움직이는 하수인들이었다. 그러나 S는 아니었다. S는 폭력과 고문에 의해서 인간의 존엄성을 상실하고 분노와 수치를 상실해가는, 그리하여 S가 보는 앞에서 공포를 이기지 못하고 그대로 오줌까지 싸는 그의 모습을 바라보면서 은밀한 쾌감까지 느끼는 고문의 전위예술가였던 것이다.

그렇다.

S는 인간의 탈을 쓴 악마, 그 자체인 것이다. 그래서 그는 S가 보여주는 그 부드러움, 천사 같은 미소, 그 향긋한 셰이브 로션 냄새, 단정한 넥타이, 마음을 달래는 상냥함을 마주하면 어느 장단에 춤을 춰야 할지 모르는 어릿광대처럼 질식할 것 같은 구토

감을 느낄 수밖에 없었다.

실제로 그는 S 앞에서 목을 꺾고 토하기도 했었다.

어느 것이 현실인가. 몸서리쳐지는 물의 고문, 그 지옥의 고통이 현실인가. 아니면 저 부드러움, 오히려 고통을 증오하는 천사의 미소가 현실인가. 그러나 그는 S가 보여주는 비현실적인 미소와 마음을 달래는 따뜻한 위로를 마주치면 자신도 모르게 최면에 걸린 사람처럼 입을 열어 고백하는 아이러니를 스스로 이해할 수 없었다. 물고문이 끝난 뒤 S 앞에 서면 그는 언제나 눈물이 흘러나왔다. 흐느껴 울면서 그가 아는 모든 것을 S에게 털어놓곤 했었다.

그가 아는 모든 것이래야 경환이가 자신의 집에서 사흘 간 숨어 지냈으며, 어디론가 공중전화를 걸고 헤어질 때는 여장을 하고 사라졌다는 내용이 전부였다.

경환이가 여자로 변장을 하고 사라졌다는 고백은 그들에게 중요한 정보가 되는 듯 그것을 털어놓은 다음날 하루는 그에게 아무런 일이 벌어지지 않았던 휴일이었다. 그는 하루의 대부분을 그 욕조가 있는 고문실에서 보냈으며, 저녁이면 다른 곳으로 옮겨져 그곳에서 잠을 자곤 했었다. 그곳에는 군용 침대 하나와 간이 화장실만 있을 뿐 아무것도 없는 텅 빈 방이었다. 외부로 창문이 하나 나 있었지만 두터운 철망이 감옥처럼 창문을 가로막고 있었다. 침대 위에 올라서서 창밖을 보면 울창한 숲속의 나무들이 보였다. 시야 전체를 숲이 가리고 있어서 이곳이 어디가 어던지 방향을 짐작할 수가 없었다. 고문실에서 풀려나와 그 텅 빈 방으로 돌아오면 지쳐 쓰러져 군용 침대 위에서 한바탕 혼수 상태에 빠져들곤 했었는데, 그러다 한밤중에 깨어나면 그는 극심한 자살 충동을 느끼곤 했었다.

그는 그러한 자신의 행동을 이해할 수 없었다. 그는 지금껏 자살을 생각해본 적도 심각하게 꿈꿔온 적도 없었다. 실제로 목숨을 끊는 자살 행위는 특별한 자학증을 가진 이상심리자들의 행동일 뿐이라고 그는 생각하고 있었다. 그러나 그는 창문을 막은 철망이 없다면 그대로 창문 위까지 기어올라가 그 창문에서 뛰어내려 목숨을 끊고 싶다는 격렬한 충동을 느끼곤 했었다. 또한 그는 군용 침대의 시트로 밧줄을 만들어 화장실 천장에 맬 수만 있다면 올가미를 목에 걸고 그대로 매어달려 죽고 싶다는 충동을 느끼곤 했었다. 그렇게 격렬하게 자살을 염원하는 자신의 심리 상태가 그는 두려웠다. 죽음이 더 이상 무섭지 않은 그 사실 자체가 그는 두려웠다. 잠깐이면 죽음에 이를 수 있으므로 극심한 고통은 오히려 느끼지 않을지도 모른다.

그는 때마다 배달되어 오는 식사를 바라보며 철제 젓가락과 숟가락을 함께 삼켜서 그대로 죽고 싶다고 생각하곤 했었다.

시간 개념은 이미 사라져버린 지 오래였다. 하루가 흘러가버린 것인지, 한 계절이 흘러가버린 것인지, 아니면 몇 년이 초스피드로 흘러가버린 것인지, 그는 날짜와 시간을 완전히 망각하고 있었다. 그는 우리에 갇힌 짐승과 다름이 없었다. 그는 짐승이었다. 동물이었다.

경환이가 여장을 하고 도망쳤다는 그의 자백은 중요한 정보이긴 해도 그것으로 모든 것이 해결된 것은 아니었다.

경환이가 사흘 동안이나 그의 쪽방에 머물러 있을 만큼 두 사람의 우정이 각별한 사이라면 경환이가 어디로 사라져버렸을까 하는 행방에 대한 정보는 충분히 갖고 있으리라는 것이 S의 판단이었다.

그러나 그는 전혀 모르는 사실이었다.

"전 더 이상 모릅니다. 제가 경환이에 대해 아는 것은 그것뿐입니다."

그는 울면서 S에게 하소연하였다. 그러나 S는 여전히 우는 아이를 달래는 유치원 보모처럼 상냥하게 말하였다.

"잘 생각해봐, 최성규. 그러면 생각이 떠오를 거야."

떠오르지 않는 생각을 잘 떠오르게 하는 방법이 그에게 되풀이되었다. 또다시 물의 고문이 시작된 것이었다.

이번에는 지금까지와는 다른 방법이었다. 사내들은 그가 보는 앞에서 욕조에 물을 받기 시작하였다. 어느 정도 욕조에 물이 고이기를 기다리는 동안 그들은 그의 두 발을 의자에 함께 묶어 두 손을 뒤로 꺾어 결박하였다. 어디에도 물이 가득 들어 있는 주전자는 보이지 않았다. 욕조에 반쯤 물이 차오르자 누군가 한 사람이 수도꼭지를 비틀어 물을 잠갔다. 거의 동시에 누군가 그의 머리채를 거칠게 끌어 잡아당겼다. 그의 머리는 그대로 반쯤 차오른 욕조 속에 거꾸로 처넣어졌다. 얼음처럼 차디찬 물이었다. 한껏 입에 머금었던 공기는 입에서 방울이 되어 조금씩조금씩 새어나간다. 될 수 있는 대로 폐 속에 들어 있는 공기의 양을 조금이라도 더 연장해서 참을 수 있을 때까지는 참으려고 혼신의 힘을 다하지만 더 이상 허파 속에는 공기가 남아 있지 않다. 그는 눈을 떠본다. 겨우 한 사람 정도 들어갈 만한 좁은 욕조였지만 그것은 바다처럼 보인다. 숨을 쉬고 싶어서 몸을 버둥거린다. 그러나 그의 머리를 짓누르고 있는 사내의 힘은 시시포스의 바위처럼 육중해서 들어올릴 수가 없다. 그는 어쩔 수 없이 입을 벌린다. 입 안 가득히 물이 스며든다. 그는 물을 먹기 시작한다. 꿀꺽꿀꺽 물이 목구멍으로 넘어간다. 물을 마시는 행위만이 생명을 연장시켜주는 유일한 방법이다. 그러나 마셔도 마셔도 갈증은 가셔지지가 않는다. 마침내 그는 온몸을 파닥거리며 경련을 시작한다. 그러나 그를 짓누르는 무게는 조금도 가벼워지지 않는다.

물속에 물고기들이 떠다니는 것이 보인다. 철썩철썩 귓가에서 파도 소리가 들려온다. 온몸이 축 늘어지는가 싶더니 그의 머리는 바깥으로 끄집어 올려진다. 그가 익사해서 죽기 직전의 타이밍을 절묘하게 감지해내는 고문 기술자는 더 이상 그의 환상을 용서하지 않는다.

누군가 그의 눈꺼풀을 뒤집어 눈동자를 확인한다. 그는 토하기 시작한다. 그의 목에서 마신 물과 더불어 물고기들이 꿈틀거리며 함께 토해져 나온다. 그가 헐떡대며 숨을 쉬기 시작하면 다시 거센 힘이 그의 머리채를 잡아당겨 욕조 속에 집어 처넣는다. 그는 이미 자신이 죽어 있는 송장이라고 생각한다. 죽어 있는 자신의 시신이 바다 속으로 수장(水葬)되고 있다고 생각한다. 문득 죽어가는 의식의 저편에서 발레리의 「해변의 묘지」 마지막 구절이 선명하게 떠오른다.

"……부숴버려라. 내 육체여. 생각에 잠긴 이 형태를
마셔라, 내 가슴이여. 바람의 탄생을
신성한 기운이 바다 속에서 솟구쳐올라 나에게 영혼을 되돌려준다. 오오, 엄청난 힘이여. 파도 속에 달려가 싱그럽게 용솟음치세. 그래, 일렁이는 파도 소리를 부여받은 망망대해(茫茫大海)여. ……아아 바람이 분다. ……살 · 아 · 야 · 겠 · 다."

발레리의 시 「해변의 묘지」 마지막에 나오는 이 유명한 구절을 정확히 번역하면 "아아, 바람이 분다. 살려고 애써야 한다"일 것이다. 그러나 그가 망망대해의 욕조 속에서 수장되고 있는 것과 같은 공포 속에서 떠올린 생각은 바로 이 한마디의 절규였다.

"아, 살 · 아 · 야 · 겠 · 다. 이대로 죽어서는 안 된다. 어떻게 해서든 살아야겠다. 살려고 애를 써야 한다Il faut tenter de vivre!"

끝도 없는 고문의 폭력 속에서도 그는 마침내 살아남았다. 고문 기술자들이 물러가고 또다시 그의 앞에 S가 앉았을 때 그는 자신이 살아 있다는 사실에 전율하였다. S는 여전히 백열전등 저편에 앉아 있었다. 이제는 익숙해진 셰이브 로션의 향긋한 냄새와 함께 S는 잠자코 침묵을 지키고 앉아서 뜨거운 커피를 마시고 있었다. 커피의 향기가 살풍경한 온 방 안을 진동하고 있었다. 그는 그 커피를 한 잔 마시고 싶은 격렬한 욕망을 느꼈다.

"허락된다면."

그는 비굴한 미소를 띠면서 말하였다.

"저도 커피 한잔 얻어 마실 수 있겠습니까?"

폭력은 인간성을 파괴한다. 고문의 폭력은 인간의 자존심을 파괴하고 인간을 노예로 굴종시킨다. 수치심을 박탈하고 인간을 조건 반사의 동물로 길들인다. 그가 말을 하자 S는 다소 의외라는 듯 그의 얼굴을 쳐다보았다. 그리고 S는 천천히 일어나 직접 컵을 꺼내어 그 안에 커피를 듬뿍 담았다.

"설탕은 어느 정도를 좋아하는가?"

"크림, 설탕 모두 다 넣어주십시오."

S는 다정하게 설탕을 스푼으로 떠서 커피에 넣은 다음 흰 크림 가루를 섞었다. 전열기에서 펄펄 끓고 있는 뜨거운 물을 한가득 담아 들고 S는 직접 스푼으로 잘 휘저은 다음 그 커피잔을 그의 앞에 내려놓았다. 그는 마약에 중독된 환자들이 금단 증세를 보이듯 손을 떨면서 그 뜨거운 커피잔을 부둥켜 쥐었다. 그는 뜨거운 커피 물에 입과 혀를 데지 않도록 조심하면서 한 모금 커피를 들이마셨다. 순간 온몸이 녹아 흐르는 듯한 쾌감이 찾아왔다. 뭔가 한바탕 생사가 걸린 격렬한 전투 끝에 찾아온 휴식과 같은

쾌감이었다. 순간 그는 S가 원한다면 그의 발에 입을 맞출 수도 있을 것만 같은 존경심을 느꼈다. 절대의 힘을 가진 S에게 자신이 종속되어 있음을 표현해 보이라고 하면 그는 S의 발에뿐 아니라 네 발로 기면서 그의 항문에도 입을 맞출 수 있을 것만 같은 느낌을 받았다. 그러자 갑자기 그의 두 눈에서 뜨거운 눈물이 흘러내리기 시작하였다. 그는 아편과 같은 커피를 마시면서 소리 없이 울고 또 울었다. 분명히 그가 울고 있음을 알고 있으면서도 S는 아무런 위로의 말도 하지 않고 쇼팽의 피아노 모음곡을 틀어놓고 그 음악을 감상하고 있었다. 음악에 맞추어 책상의 모서리를 두드리는 평소와는 달리 커피잔의 손잡이 부분을 가볍게 두드리고 있을 뿐이었다. S는 할 말을 잃어버린 사람 같았다. S는 커피를 마시며 긴 침묵을 지키면서 자기 작업에 지친 예술가처럼 망중한(忙中閑)을 보내고 있었다.

순간 그는 한 가지 상념을 떠올렸다. 그것은 어떻게든 '살 · 아 · 야 · 한 · 다'는 발레리의 명제였다. 이대로 비참하게 죽을 수는 없다고 그는 생각했다. 물론 그는 고백한 더 이상의 비밀은 알고 있지 않았다. 그는 이미 S에게 그가 알고 있는 모든 비밀을 고백했다. 경환이가 그의 집에서 사흘 간 은신해 있었고, 여장을 하고 어디론가 사라졌다는 그 이상의 비밀을 그는 알고 있지 않았다. 그러나 장미정에 관한 정보는 그들이 아직 파악하지 못하고 있는 것이 분명하였다.

장미정, 그녀는 경환이의 여자 친구였다. 아니 여자 친구라기보다는 두 사람은 연인 사이였다. 미정이는 그들보다 한 학년이 낮은 후배 여학생으로 그와 경환이를 오빠라고 부르고 있었다. 한 학년 아래였지만 나이는 두 살이나 어렸다. 장미정은 경환이와 같은 시골에서 고등학교를 나온 고향 후배였다. 미정이는 경환이를 오빠라고 따르고 있었지만, 경환이를 바라보는 미정의 눈빛에는 따뜻한 사랑이 넘쳐흐르고 있었다. 그것은 경환이도 마찬가지였다. 언젠가 술을 마시면서 경환이는 이렇게 말을 한 적이 있었다.

"나는 이다음에 미정이와 결혼할 거야. 나는 미정이를 사랑하고 있어."

궁핍했던 유년 시절을 보낸 경환이와는 달리 미정이는 지방의 중소도시이기는 하지만 그곳에서 병원을 하고 있는 유복한 집에서 자라나 구김살이 없었다. 경환이는 미정이와 같은 학교에서 사귀는 캠퍼스 커플이었지만, 교내에서 미정이와 함께 팔짱을 끼고 걷거나 다정한 연인 사이라는 것을 밖으로 드러낸 적이 없었다. 경환이가 미정이를 좋아하고 있고 미정이가 경환이를 오빠 이상으로 생각하고 있다는 것을 알고 있는 사람은 오직 자신뿐이었을 것이다.

이따금 그는 두 사람의 데이트에 합석하곤 했었다. 그만큼 그는 두 사람에게 있어 거리낌이 없는 친구였으며 허물이 없는 사이였던 것이다. 미정이는 캠퍼스 내에서 눈에 띌 만큼 아름다웠고, 학생들 사이에서는 잘 알려진 퀸이었다. 다른 학부의 남학생들도 문과대학에 찾아와 미정이의 교실을 기웃거릴 만큼 소문이 나 있었지만 미정이가 경환이의 숨겨진 여인이라는 사실을 아는 사람은 아무도 없었다.

경환이는 이따금 술을 마시면 술집 여인과 어울렸는데, 경환이는 자신의 이런 행위를 배설(排泄) 행위라고 말하곤 했었다. 경환이에 비하면 그는 숙맥이었다. 그는 결혼을 약속할 여인이 나타날 때까지 동정(童貞)을 지켜야 한다고 스스로 결심하고 있었다. 이러한 그의 결심을 경환이는 '보수 반동'이라고 빈정대었다. 자유는 억압된 독재 정치 권력으로부터의 해방뿐 아니라 성(性)에 있어서도 해방되었을 때 비로소 얻을 수 있다고 경환이는 주장하고 있었다. 그럼에도 불구하고 경환이는 미정이에 대해서는 전혀 육체적인 성욕을 느끼지 않고 있는 것처럼 보였다. 경환이는 미정이를 '베아트리체'라고 부르곤 했었다.

베아트리체.

단테의 『신곡(神曲)』에 나오는 구원의 여인, 베아트리체. 경환이의 연인 미정이의 존재를 S에게 고백한다면, 경환이가 미정이에게는 은밀하게 연락을 할지 모르고 어쩌면 경환이의 은신처를 미정이가 알고 있을지도 모른다는 사실을 S에게 고백한다면 나는 발레리의 시처럼 '살 · 수 · 있 · 을 · 것 · 인 · 가.'

순간 그는 커피를 마시면서 약간의 죄책감을 느꼈다. 자신이 미정이의 이름을 밝힌다면 이는 분명한 배신 행위인 것이다. 그러나 나는 어쩔 수 없다. 더 이상의 방법은 없는 것이다. 나는 살·아·야·한·다. 발레리의 시처럼 "부숴버려라, 내 육체여. 생각에 잠긴 이 형태를!" 죄책감에 이 생각을 부숴버리고 나는 살기 위해 불어오는 바람을 마셔야 한다. 그는 마음이 변하기 전에 입을 열고 고백을 해야 한다고 생각했다.

"할, 할 말이 있습니다."

그는 커피를 마시다가 서둘러 침묵을 깨고 입을 열고 말하였다. 그의 목소리는 심하게 떨리고 있었다.

"……무슨 말인데."

지친 자세로 책상 위에 두 발을 뻗어올린 자세로 침묵을 지키고 있던 S가 조용히 말을 받았다.

"아주 중요한 말입니다. 경환이에 관한 비밀입니다."

그러자 S는 조용히 일어서서 카세트 라디오의 버튼을 눌러 쇼팽의 피아노곡을 정지시켰다.

"경환이에게는 여자 친구가 있습니다."

고백을 시작하는 그의 두 눈에서는 다시 뜨거운 눈물이 흘러내리기 시작하였다. 그러나 그것은 전혀 감정이 섞이지 않은 안약과도 같은 눈물이었다.

"학, 학교 내에서 이 사실을 알고 있는 사람은 아, 아무도 없습니다. 이, 이 사실을 알고 있는 사, 사람은 나 한, 한 사람뿐입니다."

그는 말을 더듬고 있었다. 긴장되면 말을 더듬는 것이 그의 오래된 버릇이었다.

"그 여학생의 이 이름은 장, 장미정이라고 합니다. 우리와 같은 대학에 다니고 있는데, 문, 문과대학의 불, 불문과에 다니고 있으며 한 학년 아래입니다."

그는 목이 메고 있었다. 일단 한번 말을 뱉은 이상 망설임도 죄책감도 느끼지 않았다. 그것은 마치 신부에게 자기의 죄를 털어놓는 고해 성사와도 같았다.

"어쩌면 그 여, 여학생이 경환이와 연락을 취하고 있을지도 모르며, 경환이의 은신처를 알, 알고 있을지도 모릅니다."

그는 흘러내리는 눈물을 손등으로 연신 닦아내리며 중얼거렸다. 그는 자신이 매우 정직한 사람처럼 느껴졌다. 거짓말을 하는 동화 속의 양치기 소년이 아니라 교과서에 나오는 정직한 워싱턴. 정원의 나무를 자신이 베었다고 고백하는 정직한 워싱턴 같은 느낌마저 들었다. 그 순간 S는 자리에서 일어났다. 그는 처음으로 그의 곁으로 다가왔다. 화장품 냄새가 더욱 강하게 코를 찔렀다. S는 그의 곁으로 다가와 그의 머리를 쓰다듬었다. S는 마법의 손을 가진 것 같았다. S가 그의 머리를 부드럽게 쓰다듬자 그는 애무를 받은 애완견처럼 마음이 편안해졌다.

"잘 생각했어, 최성규. 망설이지 마라. 한경환이는 네 친구가 아니야. 한경환이는 너의 친구가 아니라 온 민중의 적이다. 커피 한 잔 더 줄까."

"아, 아닙니다."

그는 울면서 머리를 흔들었다. 그러자 S는 책상 서랍에서 무언가를 꺼내었다. 그것은 백지였다. 종이와 볼펜을 꺼낸 S는 그것을 그의 앞에 펼쳐놓으면서 이렇게 말하였다.

"네가 아는 모든 것을 이 종이 위에 써라. 하나도 빼어놓지 말고. 그 여학생의 주소와 전화번호도 써라. 만약 생각이 나지 않는다면 이 종이 위에 그 여학생이 살고 있는 집의 약도를 상세하게 그려라."

그러고 나서 S는 사라졌다.

그는 혼자가 되었다. 지금까지는 한 번도 없던 일이었다. 잠자기 위해서 다른 방으로 옮겨질 때를 빼놓고는 늘 그는 다른 사람과 함께 있었다.

고문을 받거나 신문을 당하거나 아니면 회유를 받는 일로 그는 항상 고통을 받고 있었다. 그러나 그는 이제 완전히 혼자가 된 것이었다.

두 손이 결박된 것도 아니었고, 두 발이 의자의 다리에 함께 묶여 있는 것도 아니었다. 일어서서 방 안을 제멋대로 걸어다닐 수도 있었으며 책상 위에 놓여 있는 담뱃갑에서 얼마든지 담배를 꺼내 피울 수도 있었다. 실제로 그는 S가 일부러 놓고 간 것 같은 담뱃갑에서 담배를 한 대 꺼내 피우기도 했었다. 원한다면 식은 커피를 내버리고 전열기에서 끓고 있는 뜨거운 물을 부어 직접 커피를 타 마실 수도 있었다.

그뿐인가.

책상 위에는 전화가 한 대 놓여 있었다. 그는 한 번도 이 밀실로 전화가 걸려오는 벨 소리를 들은 적이 없었다. 그러나 언젠가 S가 그를 심문하다 말고 그가 보는 앞에서 전화를 거는 모습을 지켜본 적이 있었다. 직통으로 연결되는 외부 전화였는지 다이얼을 돌린 후 S는 다정스럽게 말하기 시작했는데 내용으로 봐서 자신들의 가족과 나누는 얘기처럼 보였다. 빨리 들어오라는 아이들의 목소리가 전화선을 통해 그대로 들려오고 있었다. 올 때 장난감을 사달라는 목소리와 함께 "아빠 사랑해"라고 하는 응석어린 목소리도 들려오고 있었다.

전화를 보자 그는 강렬한 유혹을 느꼈다. 그는 어느 날 한밤중에 느닷없이 체포되어 이곳으로 끌려왔다. 그가 체포되어 압송되어 온 사실을 아는 사람은 아무도 없다. 그는 어느 날 갑자기 행방불명이 되어버린 것이다. 이곳으로 끌려온 것도 어느덧 열흘이 넘어가고 있다. 그렇게 보면 학교 강의 시간에도 벌써 일주일 이상 빠지고 있는 것이다. 그뿐인가. 무엇보다 고향에서 걱정이 태산 같을 것이다. 늦어도 2, 3일에 한 번쯤은 집으로 안부 전화를 올리지 않았던가. 열흘 이상 연락이 끊겼다면 그의 가족들은 어쩌면 경찰에 가출 신고를 냈을지도 모른다.

그는 전화를 걸고 싶었다. 무엇보다 아버지에게 전화를 걸고 싶었다. 전화를 걸어 잘 있다는 목소리라도 전하고 싶었다.

그는 조심스레 다가가 전화기를 집어들었다. 수화기를 귓가에 대자 윙 하는 접속음 소리가 들려왔다. 얼마든지 전화를 걸어도 좋다는 신호음이었다. 그는 떨리는 손으로 다이얼을 돌리기 시작하였다. 서너 개의 다이얼을 돌린 후 그는 갑자기 망연하였다. 나머지의 숫자 서너 개가 떠오르지 않았기 때문이었다. 그는 생각하기 위해서 정신을 집중시켰다. 그러나 거짓말처럼 나머지 번호가 전혀 떠오르지 않았다. 그보다도 누군가 자신의 행동을 엿보고 있을지도 모른다는 공포감이 엄습해왔으므로 그는 본능적으로 전화기를 내려놓았다. 시키지도 않았는데 그는 의자 위에 앉아서 볼펜을 집어들었다.

이 방의 구석 어딘가에는 그의 일거수일투족을 감시하는 카메라가 설치되어 있을지도 모른다. 벽 너머에서 그들은 그의 행동을 낱낱이 지켜보고 있을 것이다.

볼펜을 집어들고 그는 백지 위에 미정이와 경환이의 관계에 대해서 자술서를 쓰기 시작하였다.

"네가 아는 모든 것을 이 종이 위에 써라. 하나도 빼어놓지 말고."

S는 그에게 명령했었다. 그는 S의 명령대로 그가 아는 미정이와 경환이에 관한 모든 비밀을 종이 위에 쓰기 시작하였다. 두 사람은 지방의 소도시에서 함께 자란 고향 선후배라는 사실에서부터 그 지방의 병원 집 딸로 불분명하지만 경환이가 한때 미정이 집에서 가정교사를 했었다는 사실, 두 사람은 서로 장래를 약속한 연인이라는 사실, 경환이의 입을 통해 미정이와 앞으로 결혼할 것이라는 말을 전해 들은 적이 있다는 사실, 그리고 S가 명

령한 대로 미정이와 미정이의 전화번호를 쓰려 했다. 그러나 이상하게도 미정이의 전화번호가 떠오르지 않고 있었다. 고문의 폭력과 심리적 공포를 통해 그가 알고 있는 대부분의 기억 회로가 망가져버린 모양이었다. 그는 하는 수 없이 종이 위에 미정이의 집 약도를 그리기 시작하였다.

언제였던가.

그는 술에 취한 경환이를 따라 미정이의 집을 찾아간 적이 있었다. 명륜동에 있는 작은 한옥이었다. 그 작은 한옥의 바깥채를 통째로 빌려 미정이는 직장에 다니는 언니와 자취를 하고 있었다. 경환이는 골목길로 난 불 밝힌 유리 창문을 서너 번 톡톡 하고 두드렸다. 그러자 꽃무늬가 새겨진 붉은 커튼이 젖혀지고 창문이 열리더니 안에서부터 미정이의 얼굴이 나타났다. 그녀는 경환이를 보자 잇몸이 드러날 정도로 활짝 웃었다.

"금방 나갈게. 기다려요, 오빠."

곧이어 한옥 대문이 삐걱 하고 열리고 미정이가 나타났다. 집에서 함부로 입는 스웨터에 통치마 바람이었고, 막 머리를 감았는지 아직 물기가 덜 말라 있는 맨얼굴이었다. 그런데도 미정이는 그림처럼 아름다웠다.

"보고 싶어 왔어. 네가 보고 싶어 왔어."

경환이는 일부러 건주정을 하면서 미정을 부둥켜안고, 그 이마에 입을 맞추었다. 그러자 미정이는 뒤쪽에 서 있는 그를 의식하고는 경환이의 몸을 자연스럽게 밀치며 말하였다.

"아이고 술냄새."

그때 그는 똑똑히 보았었다. 누가 신던 흰 고무신이었던지 아주 큰 고무신을 질질 끌고 나왔던 미정이의 맨발을. 그 맨발 차림으로 로터리까지 가서 세 사람은 술을 더 마셨다. 그것이 첫번째로 찾아갔던 미정이의 집이었다. 드럼통으로 만들어진 싸구려 술집에서 술은 경환이가 주로 마셨고, 미정이와 그는 그의 술주정을 듣고 있었다. 아마도 하숙집의 어느 누군가가 집에서 신고 있던 흰 고무신을 끌고 나온 얼핏 보면 무신경한 미정이의 그런 모습이 오히려 그에게는 신선한 매력이었다. 이따금 고무신 사이로 맨발이 보이곤 했었는데 여인의 발이 아름답다는 것을 그때 그는 처음으로 느꼈다. 아니었다. 아름답다기보다는 육감적이었다.

미정이에게는 그런 매력이 있었다. 청순함과 자연스러움 속에 깃든 요염함. 그날 밤 그는 미정이를 꿈꾸었다. 참으로 어이없는 꿈이었다. 꿈속에서 그는 미정이와 입을 맞추었고, 서로의 몸을 포옹하였는데 그 포옹만으로 그는 짜릿한 쾌감과 함께 몽정을 했었다. 꿈에서 깨어난 후 그는 참담한 기분으로 자신이 쓰레기통을 뒤지는 더러운 생쥐 같은 놈이라고 스스로를 경멸했었다.

또 언제였던가.

그는 두번째로 미정이의 집을 찾아갔었다. 집을 찾아가는 골목길에서 라일락 꽃향기가 바람에 흩날리고 있었던 것을 보아 지난봄 4월이었던 모양이었다. 그는 주머니에 경환이의 편지를 갖고 있었다. 이미 경환이는 학생들의 데모를 주동하고 있었으므로 요시찰 인물이었다. 경환이는 그를 도서관으로 찾아와 주머니에서 편지를 꺼내주며 이렇게 말하였다.

"이 편지를 미정이에게 전해줄래. 너 미정이 집을 알지. 내 대신 좀 전해주고 올래. 부탁이야."

그는 경환이의 입장을 잘 알고 있었다. 강의실로 찾아가 직접 전해줄 수도 있지만 되도록 주위 사람들에게 두 사람의 관계를 노출하지 않으려는 경환이의 의중을 잘 알고 있었던 것이다. 그는 경환이의 편지를 주머니에 넣고 오후 늦게 학교 교정을 빠져나왔다. 명륜동으로 가는 버스를 타고 가는 동안 그는 경환이의 편지를 꺼내 보았다. 편지는 봉해 있지 않았다. 그는 봉투를 열고 안에서 내용물을 뽑아들었다. 대학 노트 한 장을 북 찢어 쓴 편지였다. 그는 남의 편지를 몰래 훔쳐 읽고 있는 비열한 도둑 행위를 하고 있다는 죄책감으로 잠시 망설였지만 솟구쳐오르는 호기심을 더 이상 억누를 수가 없었다. 그는 편지를 펼쳐 보았다. 낯익은 경환이의 필체였다.

'사랑하는 미정이에게, 미정아, 미정아, 미정아, 보고 싶고, 만나고 싶고, 보고 싶고, 만나고 싶어. 함께 있고 싶다. 눈이 부시게 푸른 봄 하늘을 보니 미정이 생각이 나고 그래서 그리운 사람을 그리워하고 있다. 미정아, 미정아, 나의 춘향아, 다시 만날 때까지 잘 있거라. 너의 이몽룡으로부터.'

그는 버스의 뒷좌석에 앉아 경환이의 편지를 거의 외울 때까지 읽고 또 읽었다. 그 내용으로 보아 경환이는 은밀하게 미정이를 춘향이라고 부르고 경환이는 자신을 이도령이라고 부른다는 사실을 알게 되었다. 그렇다면 나는 누구인가. 이몽룡의 편지를 전해주는 나는 방자인가. 그보다도, 급하지도 않은 사랑 편지를, 그것도 밀봉하지 않은 편지를 전하는 경환이의 마음은 무엇을 의미하고 있는 것인가. 그들 사랑하고 있는 사람들 사이에서 오가고 있는 은밀한 사랑의 감정을 전령사인 그를 통해 즐기려는 못된 심사가 아니고 무엇인가. 그는 순간 질투를 느꼈다. 그는 경환이에게 질투를 느꼈고, 또한 미정이에게 질투를 느꼈다. 그는 자신이 방자가 아니라 미정이를 원하고 있는 변사또라는 사실을 비로소 깨달았다.

그는 언젠가 한 번 가보았듯 그 골목길을 걸어, 그 모퉁이를 돌아, 그 키 작은 한옥집으로 찾아갔다. 창문에는 불이 켜져 있었다. 그는 경환이를 흉내내어 톡톡톡 그 유리창을 서너 번 두들겨보았다.

잠시 후.

꽃무늬의 커튼이 젖혀진 후 그 창문이 활짝 열렸다. 마치 기다리고 있었다는 듯 찾아오기를 기다렸던 춘향이와 같은 얼굴로 미정이의 얼굴이 그곳에서 떠오르고 있었다.

그는 그때 보았던 미정이의 얼굴을 선명하게 기억하고 있었다. 이제나저제나 하고 기다리다가 마침내 유리창을 두드리는 사랑의 노크 소리가 들려왔을 때 활짝 문을 열고 웃던 미정이의 모습. 그러나 잠시 후 골목길에 서 있는 사람이 경환이가 아니라 그의 얼굴임을 확인하는 순간 그 얼굴에 떠오르는 실망감과 당혹감.

"성규오빠가 웬일이세요."

"저 경환이의 부탁으로 찾아왔어. 경 경환이가 편지를 전해달랬어. 그래서 찾 찾아왔어."

그는 주머니 속에서 편지를 꺼냈다. 그는 발돋움을 하고 그 편지를 창문을 통해 미정이에게 전해주었다.

"마침 집에 있어서 잘되었군. 그럼 나 갈게."

"잠깐, 잠깐만요."

미정이는 당황한 얼굴로 말하였다.

"요기 앞 로터리에요, 옹달샘이란 다방이 있어요. 그 다방에서 좀 기다려주실래요. 제가 오빠한테 커피 한잔 살게요."

"괜찮아."

그는 대답했다.

"난 그냥 갈게."

"안 돼요, 오빠. 그래도 우리집에 찾아오신 손님인데 제가 금방 나갈게요. 오빠 기다리세요. 알았죠."

그는 마다할 수 없었다. 그는 왔던 길을 되돌아 골목길을 빠져나갔다. 이미 로터리에는 어둠이 내려와 있었다. 미정이의 말대로 옹달샘이라는 다방이 있었는데 창가 쪽에 앉자 창문 너머로 분수가 그대로 보였다. 분수에서는 물줄기가 솟아오르고 있었다. 그는 커피를 한 잔 시켜 마셨다. 다 마실 때까지 금방 나오겠다던 미정은 나오지 않았다. 창밖이 아주 어두워져서 분수의 물줄기가 보이지 않게 되었을 때야 미정이가 나타났다. 그녀는 전번과는 달리 옷매무새를 가다듬고 있었다. 입술에는 옅은 립스틱까지 바르고 있었다. 무심코 그녀의 다리를 보았지만 굽 낮은 단화에 흰 양말까지 받쳐 신고 있었다.

두 사람은 의례적인 얘기를 나누었다. 겨울 방학 동안에 있었던 이야기를 이것저것 나누었다. 그는 미정이가 두 사람의 이야기 중에 경환이 얘기가 나올 때만 그 눈빛에 생기가 넘치는 것을 엿볼 수 있었다. 그러고 나서 미정이는 수줍은 표정으로 편지 봉투 하나를 내어놓았다.

"미안해요, 오빠. 제가 답장을 썼어요. 답장을 쓰느라고 좀 늦게 나왔어요. 경환이오빠에게 이 편지를 전해주지 않으실래요. 따로 오빠를 만날 수도 없고, 경환이오빠는 항상 행방이 불분명하니까요."

그는 고개를 끄덕이고 편지를 받았다. 그리고 두 사람은 다방을 나왔다. 미정이는 그를 버스 정류장까지 바래다주었다. 그가 버스에 올라타는 동안 그녀는 가로수 옆에 서서 그를 쳐다보며 웃고 있었다. 물빛 블라우스를 입은 미정의 모습은 아름답고 또한 매력적이었다. 그녀의 육체를 꿈꾸며 몽정까지 했던 씁쓸한 기억을 떠올리는 순간 버스는 출발하였는데 그때 그는 자신을 향해 손을 흔드는 미정이의 모습을 보았다. 그는 알고 있었다. 미정이가 손을 흔들며 작별 인사를 하는 사람은 내가 아니라 사실은 경환이인 것이다. 나는 경환이의 대리인에 지나지 않는 것이다.

그는 빈 의자에 앉아 좀 전에 받은 편지를 꺼내 보았다. 그 편지 봉투는 경환이 것과는 달리 꽃봉투였는데 단단하게 밀봉이 되어 있었다. 마치 타인의 침범을 경계하듯 단단하게 빗장을 잠그고 있었다.

그날 밤 그는 집으로 돌아와 편지 봉투를 꺼냈다. 그는 손수건에 물을 묻혀 충분히 짠 다음 축축한 손수건으로 봉투의 봉한 부분을 천천히 적시기 시작하였다. 참을성 있게 두드리고 두드리자 봉투를 밀봉하였던 풀의 녹말이 녹아서 말랑말랑해졌다. 그래도 행여 봉투가 찢어지거나 파손될 염려가 있었으므로 그는 면도칼로 조금씩 벗겨보았다. 감쪽같이 봉투를 연 후 그는 떨리는 손으로 그 안에 내용물을 꺼내 보았다. 예쁜 화선지였다. 무슨 향수 냄새 같은 것도 종이에서 풍겨오고 있었다. 단정히 접힌 편지지를 펼치자 미정이의 글씨가 나타났다. 처음 보는 미정이 글씨였다. 함부로 내갈겨 쓴 경환이와는 달리 한자 한자 또박또박 정자로 쓴 필체였다.

'경환이오빠, 오빠의 편지를 받았어요. 잘 계셨는지요. 고향에서 오빠를 만나게 될까, 기대했었는데 방학 중에 고향에도 내려오지 않았더군요. 섭섭했습니다. 오빠의 집에서도 무척 기다리고 계셨던 모양이던데요. 도대체 어디서 무얼 하고 계신 것인가요. 어쨌든 반가워요, 오빠. 편지를 받으니 건강하게 계신 것 같아 마음이 기쁨으로 흘러넘치고 있네요. 오빠, 제가 서정주(徐廷柱)님의 시 하나를 적어드릴게요. 틈틈이 한번 읽어보세요. 제목은 춘향유문(春香遺文)이에요. 춘향이가 남긴 마지막 글이라는 뜻이겠지요.'

순간 그는 그 편지를 찢어버리고 싶은 질투를 느꼈었다. 그때 그는 자신이 미정이를 좋아하고 있다는 것을 처음으로 깨달았다. 그는 미정이가 쓴 서정주의 시를 하나하나 소리내어 읽어보았다.

안녕히 계세요.
도련님.

지난 5월 단옷날, 처음 만나던 날
우리 둘이서 그늘 밑에 서 있던
그 무성하고 푸르던 나무같이
늘 안녕히 안녕히 계세요.

저승이 어딘지는 똑똑히 모르지만,
춘향의 사랑보단 오히려 더 먼
딴 나라는 아마 아닐 것입니다.

천길 땅 밑을 검은 물로 흐르거나
도솔천의 하늘을 구름으로 날더라도
그건 결국 도련님이 아니에요?

더구나 그 구름이 소나기 되어 퍼부울 때
춘향은 틀림없이 거기 있을 거예요.

아름다운 연가였다. 그는 숨이 멎을 것만 같은 적의를 느꼈다. 경환이에 대한 자신의 사랑의 감정을 서정주의 시를 통해 표현하는 미정이의 놀라운 감수성. 경환이는 편지에서 미정을 춘향이라고 불렀다. 미정아, 미정아, 나의 춘향아. 그러고 나서 자신을 이몽룡이라고 자칭하였었다. 그러한 직접적인 경환이의 표현에 미정이는 정면으로 맞대응하지 않고 서정주의 시를 빌려서 자신을 춘향이로 은유하여 이몽룡인 한경환에게 은밀하게 사랑을 고백하고 있는 것이다.

다음날 그는 학교 광장에서 경환이를 만났다. 그는 그 광장에서 학생들의 시위를 주도하고 있었다. 간신히 사람을 뚫고 찾아가 경환이를 만나서 미정이로부터 받은 답장을 전할 때 경환이는 머리에 붉은 띠를 두른 채 그 편지를 뜯고 그 안의 내용을 읽어보았다. 불과 10여 초 사이에 그 내용을 읽고 나서 경환이는 구호를 외치는 학생들 사이로 뛰어 사라졌다. 그때 그는 생각했다.

경환이는 편지를 읽고 미정이의 마음을 이해했을까. 천길 땅 밑을 검은 물로 흐르거나 도솔천의 하늘을 구름 위로 날더라도 결국 도련님 경환이의 곁에 가서 틀림없이 그곳에 있겠다는 춘향이 미정이의 마음을 이해하였을까.

그는 백지 위에 그가 가보았던 명륜동의 그 골목길을 상세하게 그렸다. 로터리를, 그리고 분수대를, 그리고 미정이와 만났던 옹달샘 다방을 약도 안에 그려넣었다. 그리고 그 골목길도 그려넣고 골목길 막다른 끝에 있는 키 낮은 한옥의 유리 창문도 정확히 그려넣었다. 그 약도를 그리는 동안 그의 마음은 마치 꿈길을 가고 있는 느낌을 받았다. 꿈결처럼 자신이 실제로 미정이의 집을 찾아가고 있는 것처럼 느껴졌다. 그 골목길을 들어가면 어디선가 라일락 향기가 풍겨왔었지. 골목 어디에선가, 누구의 집에선가 서투르게 치는 피아노 연주 소리가 딩동딩동 하고 들려왔었지. 찾아가 그 창문 앞에 서서 꽃무늬가 새겨진 커튼이 걸려 있는 창문을 가볍게 톡톡톡 노크를 하면 안에서부터 일편단심으로 기다리던 춘향이처럼 미정이의 얼굴이 나타나곤 했었지.

그때였다.

꿈결처럼 아득한 회상에 잠겨 있던 그의 상상은 깨어졌다. 덜컹 철문이 열렸던 것이다. S였다. S는 들어와 그에게 말하였다.

"다 썼나."

그가 무어라고 대답할 겨를도 없이 S는 책상 위에 적어놓은 종이를 집어들어 읽기 시작하였다. S는 한자 한자 빼어놓지 않고 정독하여 읽었다. 다 읽은 후 S는 백열등 저편에서 말하였다.

"잘 썼어, 이만하면 충분해. 수고했어, 최성규."

"부 부탁이 있습니다."

그는 더듬거리며 말하였다.

"무슨 부탁인데."

"들 들어주실 수 있겠습니까?"

"들어줄 만한 부탁이라면 무엇이든지."

S는 선선히 대답하였다.

"제 제가 경환이와 미 미정이에 관한 진술을 했다는 사실을 절대로 비밀로 해주셨으면 합니다. 그 누구에게도 알 알려지지 않았으면 좋 좋겠습니다."

"물론이지."

S는 단숨에 대답하였다.

"그건 말이야, 귀신도 모르는 일이야. 이런 것을 우리는 장미라고 부르지. 배반의 장미. 배반의 장미를 보낸 사람의 이름은 절대로 입 밖에 내어서는 안 되는 것이 우리들의 불문율이야. 안심해도 돼. 최성규. 너는 이제 우리와 같은 배를 탔어. 너는 이제 우리의 동지야."

S는 그에게 손을 내밀어 악수를 청하였다. 그는 S의 손을 잡았다. 처음으로 잡아본 S의 손이었다. 그의 손은 지나치게 따뜻했다.

그날 저녁.

그는 이른바 '고문 오피스'라고 불리는 고문실에서 평소보다 일찍 그의 침실로 옮겨졌다. 그리고 그는 특별 대우를 받았다. 특별 대우는 다른 것이 아니었다. 항상 저녁식사는 인근 식당에서 배달되어 온 것으로 보이는 똑같은 밑반찬의 백반이었는데 그날의 저녁식사는 스페셜한 것이었다. 따뜻한 크림 수프가 곁들여진 비프스테이크였다. 물론 고급 레스토랑에서 나오는 그런 음식은 아니었지만 맛 하나는 훌륭하였다. 그는 혼자서 오랜만에 성찬을 즐겼다. 스푼으로 따뜻한 수프를 떠서 목구멍 속으로 흘려넣으며, 나이프와 포크를 써서 스테이크의 고기를 썰었다. 무엇보다 놀라운 것은 식사에 곁들여 캔맥주 하나까지 배달된 것이었다. 냉동이 잘된 맥주였으므로 캔의 겉면에는 성에가 서려 있었다. 그는 캔의 뚜껑을 따서 얼음처럼 차디찬 맥주를 서서히 마시기 시작하였다. 오랜만에 마시는 맥주의 맛은 황홀하였다. 그는 맥주가 아까워 혀로 핥아 조금씩조금씩 들이켰다.

이것이 배반의 대가인가 하고 그는 맥주를 마시면서 생각하였다.

나는 배반했다. S의 말대로 배반의 장미를 경환이와 미정이에게 보냈다. 그들이 묻지 않았음에도 불구하고 나는 스스로 미정이의 이름을 그들에게 고백하였다. 그리고 미정이의 집 약도를 백지 위에 상세하게 그렸다. 누구라도 찾아갈 수 있을 만큼 내 약도는 완벽하였다. S의 명령을 받은 하수인들은 즉시 미정의 집으로 출발했을 것이다. 그들은 검은 지프를 타고, 명륜동을 향해 출발해서 잠든 미정이를 구둣발로 침입해서 체포해 압송해오고 있을 것이다.

그는 맥주를 마시면서 생각했다.

어쩔 수 없는 일이었어. 그 누구의 이름이라도 털어놓지 않을 수가 없었어. 그 끔찍스런 고문을 당하지 않기 위해서라면 나는 죽은 어머니의 이름이라도 털어놓지 않을 수 없었어. 살아남기 위해서라면 나는 무슨 짓이든 해야만 했어.

캔 속에 들어 있는 맥주를 다 마시자 금세 취기가 솟아올랐다. 술이 약한 그가 아니었지만 갇혀 있는 동안 몸과 마음이 피폐할 대로 피폐해져서 맥주 한 잔에도 몸을 가눌 수 없을 정도로 취기가 오르고 있었다. 그는 좁은 방 안을 상한 짐승처럼 맴돌면서 혼자서 킬킬거리며 거품처럼 웃었다.

그래 맞았어. 내가 미정이의 이름을 고백한 것은 S의 말대로 귀신도 모르는 일이야. 인간은 어차피 배반의 동물이지. 하느님의 아들이라는 예수도 그의 으뜸 제자인 베드로에게 세 번이나 배신을 당했어. 그뿐인가. 가롯 유다는 자신의 스승을 단돈 은전 서른 닢에 팔아넘기지 않았던가. 그에 비하면 내가 미정의 이름을 털어놓은 것은 배반이라고까지 말할 수 없는 행위야. 그것은 정당한 행위였어. 이런 것을 법률 용어로 정당방위(正當防衛)라고 부르지. 급박하고 부당한 침해에 대해서 자신의 생명이나 권리를 지키기 위해 어쩔 수 없이 하게 되는 가해 행위를 정당방위라고 부른다.

그러나 밤이 깊어가자 그는 고통을 느꼈다.

그가 장미정의 이름을 분 것은 어쩌면 배신이나 정당방위가 아니라 복수였을지도 모른다는 자의식이 고개를 들었기 때문이었다.

미정이가 써보냈던 답장의 편지,

그 편지 속에 들어 있던 서정주의 아름다운 연가, "안녕히 계세요./도련님.//지난 5월 단옷날, 처음 만나던 날/우리 둘이서 그늘 밑에 서 있던/그 무성하고 푸르던 나무같이/늘 안녕히 안녕히 계세요."

미정이의 편지 내용을 읽는 순간 그는 질투 이상의 적의를 느끼지 않았던가. 그러므로 그가 미정이의 이름을 S에게 고백한 것은 살아남기 위한 정당방위가 아니라 은밀하게 복수함으로써 쾌감을 느끼려는 비열한 가학(加虐) 행위일지도 모른다. 그는 꿈속에서 미정을 상대로 몽정을 했었다. 그 순수하고 정결한 미정의 모습 어딘가에 숨겨져 있는 육욕의 불길이 그의 달구어진 육체를 찬물 속에 집어넣어 담금질하듯 그는 혹독한 쾌락을 꿈속에서 맛보았으며 그 쾌락은 강간의 쾌감과도 유사한 전율감으로 항상 기억 속에 남아 있었다. 그는 언젠가 보았던 미정의 맨발에 입맞추고, 미정이가 경환이에게 보냈던 편지 봉투를 면도칼로 찢어내리듯 그녀의 눈부신 아름다운 겉면을 면도칼로 찢어내리고 싶은 충동을 느끼곤 했었다. 그녀의 옷을 찢어버리고 그녀의 알몸을 면도칼로 베고 싶은 욕망을 느끼곤 했었다.

그러자 그는 무서운 죄의식에 사로잡히기 시작하였다. 그는 예수를 배신한 가롯 유다가 은전 서른 닢을 내어던지며 "내가 죄 없는 사람을 배반하여 그의 피를 흘리게 하였으니 나는 죄인입니다" 하고 스스로 목매달아 자살하였듯 극심한 자살 충동을 느꼈다.

그는 흐느껴 울면서 침대 시트를 벗겨서 밧줄을 만들었다. 어차피 고문에 비하면 죽음은 두렵지 않았다. 물고문을 당할 때마다 그는 제발 빨리 의식이 사라져버리기를 빌고 또 빌었다. 그러나 기술자들은 의식의 경계선을 정확히 알고 있었고, 또한 고문의 고통을 극대화시키는 방법을 너무나 잘 알고 있었다. 고문에 비한다면 죽음은 어차피 한순간에 지나지 않을 것이다. 그는 시트를 묶어 밧줄을 만들었으나 사방 어디에도 매어달 만한 장소가 눈에 띄지 않았다. 그는 계속 울면서 식사의 도구로 들어온 포크와 나이프를 보았다. 나이프는 겨우 고기를 썰 정도의 둔탁한 칼날을 갖고 있었으므로 스스로 동맥을 절단할 만큼의 예리함은 못 되었다. 그는 대신 포크를 집어들었다. 포크는 끝이 뾰족한 세 개의 창(槍)을 갖고 있었다. 그는 그것으로 자신의 목을 찌를까 하고 순간 생각하였다. 목을 찔러 동맥을 끊어버린다면 나는 서서히 죽을 것이다. 마치 로마의 고대 귀족들처럼. 저 포크로 손목을 찔러 동맥을 끊어버린 후 그 손목을 변기의 물 속에 거꾸로 처넣을 수만 있다면 서서히 온몸의 피는 응고되는 일 없이 빠져나가 서서히 빈사 상태에 빠져들 것이다.

그러나 그는 아무런 행동도 하지 못하였다. 그는 용기도 없었으며 자살하려 하는 자신의 생각이 오히려 그를 공포에 떨게 만들었다. 순간 그는 오래전에 읽었던 릴케의 「두이노의 비가」 한 구절을 떠올렸다.

> 저기 죽음이 서 있다. 받침도 없는 찻잔에
> 시퍼러둥둥한 찌꺼기 같은 죽음이
> 찻잔을 위해서는 진정 희한한 장소로구나
> 그 누군가의 손등에 얹혀 있는 찻잔
> 유약을 바른 봉곳한 언저리의 자루가
> 떨어져나간 자리가 때가 묻어 아직도 선명하구나
> 그러나 그 자리에는 닳고닳은 글씨로 '희망'이라고 적혀 있구나.

그는 릴케의 시처럼 죽음이 배반의 대가로 먹은 성찬의 접시 위에 서 있는 것을 보았다. 시퍼러둥둥한 찌꺼기 같은 죽음이 보였다. 그러나 그 접시 위에는 '희망'이라고 적혀 있는 닳고닳은 글씨 하나도 보였다. 그는 순간 살·아·야·한·다고 생각했다. Il faut tenter de vivre! 살려고 애를 써야 한다고 생각했다. 그는 그래서 손에 든 포크를 집어던졌다. 그리고 그는 군용 침대에 몸을 던져 쓰러져 누웠다. 그는 천천히 잠이 들었다.

6

그 다음날은 아무런 일도 일어나지 않았다. 누구도 그를 데리러 오지 않았으며 누구도 그를 방해하지 않았다. 그는 하루 종일 빈방에서 홀로 지냈다. 고문 자체도 두려웠지만 고문을 받기 전의 기다림이 더욱 두려웠으므로 그는 불안과 초조 속에서 하루를 보냈다. 그는 하루 종일 군용 침대 위에 올라가 창밖을 내다보았다. 벽 위에는 창문 하나가 나 있었고 그 창문은 두터운 쇠창살로 가로막혀 있었는데 그 위에 올라서면 푸른 숲이 보이고, 이따금 그 숲 사이로 날아다니는 새들이 보이곤 하였다. 한 가지 위안은 그 창문을 통해서 햇살이 쏟아져 들어오고 있다는 사실이었다. 햇살은 마치 해시계 위의 그림자처럼 좁은 방 안을 맴돌면서 시간을 가리켰다. 그는 누군가 자기를 데리러 오기를 기다렸다. 지금까지 한 번도 무위(無爲) 속에서 시간을 보낸 적이 없었으므로 자신이 잊혀진 존재이거나 망각되어버린 존재처럼 느껴져서 그는 소리를 지르거나 철문을 두들겨 사람을 부르고 싶은 충동을 느꼈다.

저녁이 되었을 무렵에야 복도를 걸어 들어오는 사람들의 발소리가 났다. 그는 본능적으로 침대에서 일어났다. 발소리는 자신의 방 앞에서 멈췄으며 이어서 찰카닥 하는 금속성 소리와 함께 덜컹 철문이 열렸다.

낯익은 고문 기술자 두 명이 문 앞에 서 있었다.

"따라와."

그 중 한 명이 감정이 섞이지 않은 목소리로 말하였다. 공사(工事). 그들은 자신들의 고문 행위를 공사라고 부르고 있었다. 마치 토목이나 건축 공역(工役)을 하듯 자신들의 고문 행위를 은밀한 용어로 그렇게 부르고 있었던 것이었다. 또다시 새로운 고문, 새로운 공사 작업이 시작된 것이었다. 그는 줄에 묶인 개처럼 끌려나왔다. 그는 자신의 고문 오피스가 어디 있는가를 잘 알고 있었다. 그러나 이상하게도 그들이 가고 있는 곳은 고문실이 있는 곳과는 정반대의 방향이었다. 긴 복도를 지나서 계단을 올랐다. 지상을 향해 계단 하나를 오른다는 사실만으로도 그는 가슴이 뛰었다.

내가 지금 석방되고 있는 것은 아닐까, 하고 순간 그는 생각하였다. 그러나 그것이 아니었다. 그를 기다리고 있는 것은 보다 처참한 지옥의 불길이었다. 그렇다. 그를 기다리고 있는 것은 고통의 축제였다. 그 고통의 축제, 그 사육제의 새로운 프리마 돈나야말로 장미정 바로 그녀였던 것이다.

비록 한 층을 더 올라왔다고는 하지만 아직도 어두운 지하의 세계였다. 밝은 형광 불빛이 복도를 밝히고 있었다. 가장 구석진 방에 이르러 앞서 걷던 사내가 문을 두드려 노크를 하였다. 안에서 '예' 하는 목소리가 흘러나왔다. 그러자 사내는 문을 열고 안으로 들어갔다. 그는 또 다른 사내와 함께 문밖에 서 있었다. 회색 벽에는 낯익은 구호 하나가 붙어 있었다.

'우리는 싸우면서 건설한다.'

그를 이곳까지 끌고 온 사내는 담배를 피워 물었다. 복도에는 나무로 만든 벤치가 하나 놓여 있었는데 두 사람은 나란히 벤치에 앉아 무작정 기다렸다. 이따금 복도를 오가는 사람들의 모습이 보였다. 그들은 가슴에 자신의 사진이 내어걸린 명찰들을 패용하고 있었다. 그러나 그들은 서로 고개를 숙여 인사를 나누거나 시선이 마주치면 정답게 웃는 눈인사도 나누지 아니하였다. 사내는 기다리는 데 지친 듯 연신 줄담배를 피워 물고 있었다. 그를 취조하는 고문 기술자 중에서 가장 나이가 젊어 보이는 그 사람은 고문을 할 때면 그의 몸이 요동치지 않도록 머리를 고정시키거나 손과 발을 밧줄로 결박하는 일을 전담하고 있었다.

오랜 시간이 흐른 후 방문이 열리고 안에서 한 사내의 모습이 나타났다. 그는 손가락을 세워 앉아 있는 두 사람을 안으로 불러들였다. 두 사람은 방 안으로 들어섰다. 방 안은 대낮인데도 어두웠다. 마치 빛을 차단하고 영화를 상영하고 있는 영사실처럼 보였다. 갑자기 밝은 곳에서 어두운 실내로 들어왔으므로 어둠에 눈이 익지 않아 어디가 어딘지 알 수가 없었다.

"어서 와, 최성규."

어둠 속에서 낯익은 목소리가 들려왔다. 그는 소리가 나는 쪽으로 고개를 돌려 보았다. 어둠 속의 S가 담배를 피우며 앉아 있었다. 그제야 그는 방 안이 왜 그처럼 어두운가 그 이유를 알 수 가 있었다. 외부에서 들어오는 빛을 차단하기 위해서 두터운 커튼을 내렸을 뿐 아니라 스위치를 내려 방 안의 불이란 불은 모두 꺼버린 상태였다. 바람 하나 빠져나갈 수 없는 밀실 상태였으므로 방 안은 담배 냄새와 사람들이 내뿜는 뜨거운 열기로 한증막처럼 후텁지근하였다. 어디선가 가늘게 신음 소리 같은 것이 들려왔다. 그는 그 신음 소리가 들려오는 곳을 보았다. 어둠 속에서는 TV 화면이 켜져 있었고 화면 속에서 신음 소리가 흘러나오고 있었다. 화면 속에는 대낮처럼 밝은 백열등이 빛나고 있어서 마치 조명이 비춰지는 연극 무대의 세트와 같은 방이 정면으로 보였다. 방 안의 풍경은 낯이 익었다. 그 방은 그를 물고문하였던 이른바 '고문 오피스'와 똑같은 크기와 똑같은 구조를 갖고 있었다. 방 한구석에는 작은 욕조 하나와 세면기 그리고 간단하게 용변을 처리할 수 있는 양변기와 취조를 할 수 있는 책상과 의자가 놓여 있었는데 화면 안에서는 지금 처참한 광경이 벌어지고 있었다. 한 사람이 두 발목을 의자의 다리 밑부분에 함께 묶이고 머리는 책상 위로 잔뜩 젖혀진 채 벌린 입을 통하여 주전자에 들어 있는 물을 강제로 들이마시고 있었다. 물을 마시는 사람은 고통을 견디지 못하고 요동을 치고 있었고, 그 요동을 억제하기 위해서 한 사람이 책상 위에 올라가 머리카락을 움켜쥐고 있었다. 지금껏 그가 서너 차례 당해왔던 물고문 중 하나였다. 그러나 그는 항상 고문당하는 당사자였을 뿐 이처럼 똑같은 고문을 당하는 다른 사람의 모습을 객관적으로 지켜본 일은 한 번도 없던 일이었다. 그는 순간 온몸이 얼어붙는 듯한 공포를 느꼈다. 그러면서 그는 자신이 고문을 당하는 피해자가 아니라 고문을 당하는 모습을 가해자의 입장에서 지켜보는 방관자라는 사실을 새삼스럽게 느낄 수가 있었다.

"담배 한 대 줄까."

S는 그에게 담배를 한 개비 내어주고 직접 라이터의 불을 댕겨주었다. 그는 의자에 앉아서 TV 화면 속에서 생중계로 벌어지고 있는 처참한 살육의 고문 현장을 담배를 피우며 지켜보았다.

순간 그는 놀라운 한 가지의 사실을 발견하였다. 그것은 고문을 하고 있는 기술자들이 모두 남자가 아니라 여자라는 사실이었다. 그뿐이 아니었다. 고문을 당하고 있는 사람이 남자가 아니라 여자라는 사실도 알 수 있었다. 머리는 강제로 꼼짝도 못하게 뒤로 젖혀져 있었으므로 얼굴은 확인할 수 없었으나 의자 위에 묶인 모습은 분명히 여인이었다. 두 손은 의자의 뒷부분에 한껏 꺾인 상태로 묶여 있었으므로 상대적으로 젖가슴이 한껏 부풀려 있었다. 의자의 밑부분에 함께 결박된 두 발의 요동으로 치마는 흩어져 있었으며 그 흐트러진 치마 밑으로 눈부신 흰 살결의 두 다리가 백열등 불빛 아래 선명하게 떠오르고 있었다. 끊임없이 여인의 벌어진 입을 향해 흘러내리는 주전자의 물은 그녀의 목덜미를 타고 흘러내려 그녀의 옷을 적시고 있었으므로 물에 젖은 옷으로 인해 굴곡진 육체의 선이 고스란히 드러나고 있었다.

따라서 그녀의 모습은 고문을 당하는 고통스러운 모습이라기보다는 일부러 과장된 사디스틱한 장면을 보여줌으로써 관객들의 성적 흥분을 야기시키는 치밀하게 계산된 변태적 스트립쇼의 한 장면처럼 보이기도 하였다.

고통을 견디지 못하고 몸부림치는 여인의 온몸이 격렬하게 흔들리기 시작하였다. 고통의 극한 상황에 이른 처절한 모습이었다. 그 몸부림으로 치마는 한껏 걷어올라가 그녀의 깊은 속살이 무방비 상태로 그대로 드러나 보이고 있었다. 이윽고 격렬하게 떨던 그녀의 몸이 의식을 잃고 저항을 포기한 듯 축 늘어졌다. 그와 동시에 고문은 중지됐다. 요동을 치지 못하도록 머리를 움켜쥐고 있던 여인은 책상 위에서 내려왔으며 주전자에 담긴 물을 먹이던 또 다른 여인은 지친 표정으로 주전자에 남아 있는 물을 욕조에 버리고 있었다. 그녀들은 바로 감시 카메라를 통해 자신들의 모습을 낱낱이 지켜보고 있는 S의 존재를 충분히 인식하고 있는 표정으로 어떻게 할까요, 하고 다음 행동을 기다리는 무언의 질문을 던지고 있었다. 그 순간 그는 자신이 고문당하는 모습도 유리창을 통해 S가 낱낱이 지켜보고 있었을지도 모른다는 느낌을 받았다.

"지독한 계집애로군."

침묵을 지키며 담배를 피우던 S가 혼잣말로 중얼거렸다.

"지독한 독종이야."

그때였다. 죽은 듯 늘어져 있던 여인이 마셨던 물을 토해내기 시작하였다. 고문을 담당하던 무표정의 여인들이 묶인 여인의 손과 발을 풀어주었다. 그러자 강제로 의자에 앉아 있던 여인은 무너져 걸레처럼 바닥에 쓰러져 누웠다. 그제야 여인의 얼굴이 눈부신 백열등 불빛 아래 정면으로 드러나 보였다. 여인의 두 눈은 검은 안대로 가려져 있었다. 그러나 그 여인의 얼굴을 본 순간 그는 심장이 얼어붙는 것과 같은 충격을 느꼈다.

물고문 끝에 정신을 잃고 실신하여 쓰러진 여인의 얼굴은 바로 장미정이었던 것이다.

그는 용수철에 튕긴 듯 어둠 속에서 벌떡 일어섰다. 그러나 그는 그 이상의 어떤 행동도 취할 수 없었다. 그는 자신의 눈이 믿어지지가 않아서 다시 한 번 쓰러져 누워 있는 여인의 모습을 확인하였다. 항상 포니테일 스타일로 생머리카락의 뒷부분을 꽃무늬 손수건으로 묶고 다니던 미정이의 긴 머리카락은 고문의 고통으로 함부로 흘러내려 얼굴의 많은 부분을 가리고 있었고 두 눈은 검은 안대로 가려져 있었지만 미정이임에 틀림이 없었다. 그제야 고문의 고통으로 몸부림칠 때 흐트러진 치마 밑으로 드러나 보이던 눈부신 흰 빛깔의 두 다리 그리고 묶인 맨발의 모습이 왠지 낯이 익다고 느껴졌던 것이 우연이 아니라는 생각이 들었다.

저 끔찍스런 물고문을 당한 끝에 실신하여 쓰러진 저 여인은 분명히 미정이인 것이다. 순간 그는 일어선 그 자세에서 입을 열어 더듬거리며 말을 했다.

"어어어 어떻게 이이이 이럴 수가……"

말은 더욱 심하게 더듬어지고 있었다. 그래서 그는 단 한마디의 문장도 입 밖으로 토해낼 수가 없었다.

"이이이 이럴 수가 있습니까."

"뭐라는 거야."

더듬거리며 중얼거리는 그의 목소리를 들은 순간 신경질이 난다는 듯 날카로운 목소리로 S가 물었다.

"어어 어떻게 이이 이럴 수가 있있 있습니까 어어 어떻게."

"그러면."

차갑고 냉정한 목소리로 S가 말을 받았다.

"그러면 어떻게 해야 네가 원하는 것이냐. 이봐, 저 계집아이의 이름을 분 것은 바로 최성규 너 자신이었어. 그리고 네 손으로 종이 위에 저 계집아이의 집 약도를 그렸어. 우리는 네가 그린 약도에 따라 집을 찾아가서 저 계집애를 체포해온 것뿐이야. 그리고 조서 위에 최성규 네 손으로 분명히 썼었어. 저 계집아이가 한경환이의 애인이라고 말이야. 두 사람은 함께 결혼을 약속한 사이라고 말이야."

"……허허허 허지만."

그는 질식하여 숨이 멎을 것만 같았다. 입은 열고 있었지만 말이 되어 나오지 않고, 헛바람만 새어나오고 있었다.

"저 계집아이를 통하면 한경환의 소재를 알아낼 수 있다는 정보를 준 것도 바로 최성규 자네였어. 그래 맞았어. 자네는 장미를 보냈지. 그들에게 배반의 장미를 보냈어. 걱정하지 마, 최성규. 저 계집년이 비록 독종이기는 하지만 얼마 안 가서 자네처럼 배반의 장미를 한경환이에게 보내게 될 테니까. 한경환이가 숨어 있는 곳을 털어놓게 될 거야. 걱정하지 마, 나는 약속을 지킬 거야. 자네가 저 계집아이의 이름을 분 것은 귀신도 모를 만큼 철저하게 보안을 유지하게 할 테니까. 그러니까 자네는 지나치게 저 계집아이에게 죄의식을 가질 필요는 없는 거야. 내가 말했었잖아. 인간이란 원래 배반의 동물이라고."

"허 허 허지만."

그는 울먹이면서 입을 열었다. 그는 끊임없는 질식감으로 제대로 숨을 쉴 수가 없었다.

"저 저 저렇게까지. 심한 고 고문을 할 이유가 어 어디에 있 있습니까."

그는 헐떡이면서 말을 했다. 힘겹게 더듬거리며 이어나가는 그의 목소리를 S는 참을성 있게 끝까지 들은 후 대답하였다.

"그러면 우리가 저 계집아이를 체포해서 어떻게 하리라 생각하고 있었는가. 저 계집아이를 붙잡아다가 우등상이라도 줄 줄 알았나. 물론 순순하게 비밀을 털어놓는다면 저런 대접을 할 리는 없을 거야. 그러나 보다시피 저 계집아이는 보통이 아니야. 내가 본 계집아이 중에서 가장 독종이라고 말할 수 있어."

"미 미정이는."

그는 여전히 헐떡이며 중얼거렸다.

"학 학생 운 운동과 관계가 없습니다. 미정이는 저 저와 마 마찬가지로 평 평범한 대학생에 불 불과합니다."

"우리에겐."

순간 S는 신경질이 난 목소리로 소리를 높였다.

"네놈이나 저 계집년이 평범한 대학생이건 특별한 대학생이건 그걸 따지는 것은 중요치 않아. 우리는 지금 한경환이를 체포하려는 것뿐이야. 저 계집아이는 한경환이의 숨겨진 애인일 뿐이고."

그때였다.

쓰러진 자세로 물을 토하고 있던 미정이는 더 이상 화면 속에서 몸을 움직이지 않았다. 고문을 하던 여인이 다가가 미정이의 몸을 가볍게 흔들어보았다. 그러나 미정이는 아무런 반응도 보이지 않고 있었다. 백열등 불빛 아래에서 쓰러진 미정이의 얼굴은 핏기가 하나 없이 창백하게 질려 있었으므로 이미 숨을 거둔 시체처럼 보였다. 다소 당황한 듯 여인이 미정이 얼굴에서 검은 안대를 벗겨내렸다. 그러자 정면으로 미정이의 얼굴이 드러났다. 미정이는 눈을 감고 있었다. 다른 여인 하나가 다가가 미정이의 눈꺼풀을 벗겨보았다. 눈동자의 초점이 모여 있지 않고 맥없이 풀려 있었다. 동공은 허공을 향한 채 무의미하게 열려 있을 뿐이었다. 사태의 심각성을 알아차린 듯 여인들은 미정이의 옷을 벗겨내렸다. 이미 주전자에서 흘러내린 물로 옷은 온통 젖어 쓰러져 누운 미정이의 몸에 착 달라붙어 있었으므로 미정이의 몸에서 옷을 벗겨내리는 일은 쉬운 일이 아니었다. 단추를 풀고, 블라우스를 벗겨내리자 그대로 브래지어만 입은 미정이의 상체가 드러났다. 그것으로 끝이 난 것은 아니었다. 윗옷을 벗긴 여인이 무표정한 얼굴로 미정이의 치마를 벗겨내렸다. 그들에게는 전혀 감정이 깃들어 있지 않았다. 그들은 숨겨진 은밀한 장소에서 밀도살(密屠殺)을 하고 있는 정육업자 같았다. 팬티만 입은 미정이의 하반신이 그대로 드러났다. 여인들은 합심해서 벌거벗은 미정이를 들어올려 욕조로 운반해갔다.

"뭐 하는 거야."

S가 날카롭게 말하였다.

그러자 부동 자세로 서 있던 사내 하나가 빠르게 말을 받았다.

"정도가 지나쳤던 모양입니다. 아직 의식이 돌아오지 않은 모양입니다."

"그래서."

"온몸에 찬물을 끼얹어 충격을 주려는 모양입니다."

죽는다. 그는 온몸이 떨려왔다. 미정이가 죽는다. 물고문의 정도가 지나쳐 기도가 막혀 질식해서 의식을 잃어버린 후 정신이 돌아오지 않고 있는 것이다. 어쩌면 기도를 타고 흘러내린 물이 그대로 허파 속으로 흘러들어가 기종(氣腫)을 일으켰는지도 모른다. 여인 하나가 샤워의 꼭지를 있는 대로 열어 세찬 물줄기를 계속 미정의 몸 위로 퍼붓고 있었다.

그는 공포에 떨면서 두 손을 모아 합장을 하였다. 제발. 그는 울기 시작하였다. 참았던 눈물이 뜨거운 액체가 되어 끊임없이 흘러내리고 있었다. 제발 미정이의 의식이 돌아오게 하소서. 제발 미정이를 죽지 않고 살아나게 하소서.

그러나 그 어느 곳에서도 한 사람의 생명이 위태할지도 모른다는 절박감이 존재하고 있지 않았다. S는 침묵을 지키며 담배를 피우고 있었고 고문 기술자들도 한결같이 침묵을 지키며 묵묵히 옆방의 풍경을 지켜보고 있을 뿐이었다.

그때였다.

어느 순간 미정의 몸이 반응을 보이기 시작하였다. 축 늘어져 있던 미정의 몸이 꿈틀거리면서 수축되었다. 긴장했던 여인의 얼굴에서 다소 여유 있는 표정이 되살아났다. 여인 하나가 벽에 걸린 타월로 미정이의 젖은 머리카락을 닦아내렸다. 속옷만 걸친 채 알몸이나 다름이 없는 미정의 몸이 함부로 쏟아 부은 찬물에 젖어 보기에 민망할 정도로 적나라하게 노출되고 있었다. 그들은 무방비 상태의 미정의 몸을, 그 누구에게도 드러나 보이지 않았던 미정의 몸을, 사람의 발길이나 손길이 전혀 닿지 않았던 처녀림의 숲을 아무런 가책도 없이 짓밟고 유린하고 있었다. 그것은 성폭력과 다름이 없었으며 분명히 말해서 한 여인을 여러 사람이 돌려가며 강간하는 윤간과 다름없는 행위였다.

"부 부 부탁이 있습니다."

그는 계속 울면서 입을 열었다. 갑자기 그는 용기를 내었다.

"무슨 부탁인데."

여전히 짜증스러운 목소리로 S가 어둠 속에서 쏘아보았다.

"미 미 미정이에게 옷 옷을 입 입혀 주 주십시오."

그는 흐느끼면서 말하였다. 그는 S도 고문 기술자도 더 이상 두렵지 않았다. 그는 미정이의 벌거벗은 몸 위에 옷을 입힐 수만 있다면 그 어떤 고문을 당하더라도 더 이상 두렵지 않을 것만 같았다.

"무슨 소리야."

S가 어이가 없다는 목소리로 말을 받았다.

"미 미정이의 벗은 몸을 가 가려주십시오."

순간 S가 낄낄거리며 웃기 시작하였다. S는 웃음 끝에 차갑고 냉정한 목소리로 말을 뱉었다.

"원한다면 네놈이 들어가 저 계집아이에게 옷을 입혀줘. 네놈이 살아 있는 인간이라면 너 스스로 걸어서 저 방으로 들어가 저 계집아이의 벌거벗은 몸을 가리고 그 몸 위에 옷을 입혀주라고."

"명 명 명령을 내려주십시오. 미 미정이에게 옷을 입히라고 명 명령을 내려주십시오."

그의 얼굴은 눈물에 젖어 범벅이 되어 있었다. 그는 헐떡이면서 말을 이었다.

"그 그렇게만 해주신다면 무 무엇이든 하겠습니다. 부 부탁입니다."

"이봐."

S가 어둠 속에 서 있는 사내들에게 명령하였다.

"저 자식을 끌고 나가."

거친 몸짓으로 사내들이 그의 몸을 잡아끌었다. 그는 저항하려 버텼지만 개처럼 끌려나갈 수밖에 없었다. 그는 울면서 소리를 높였다.

"부 부탁합니다."

사내들에게 끌려 문밖으로 나가자 참고 있었다는 듯 사내 하나가 그를 구석으로 몰아넣은 후 그의 가슴을 강타하였다. 그는 그대로 복도의 벽에 튕겨져 나가 쓰러졌다. 배가 찢어지는 것 같은 고통과 숨을 쉴 수 없는 통증이 한꺼번에 다가왔다.

"이 새끼가 보자보자 하니까."

쓰러진 그의 몸을 향해 발길질이 서너 차례 가해졌다. 그는 순간 그 폭력이 두렵거나 고통으로 다가오지 않고 오히려 충일한 기쁨 같은 것으로 다가오는 것을 느꼈다.

순간 그의 머리 속으로 어디선가 읽었던 보들레르의 시 한 구절이 느닷없이 명료하게 떠올랐다.

'오 착하지. 오 내 고통아, 좀더 조용하렴.

저녁은 보챘었지. 자 내려온다

보아라 그리고 들어보라

다가오는 아늑한 밤의 발소리를.'

그들의 무자비한 폭력 속에서 그는 조용하게 내려오는 아늑한 밤의 발소리와 같은 평온을 맛보았다. 그것은 차라리 감미로움이었다. 미정이를 배신한 죄에 대한 형벌과 같은 폭력 속에서 그는 개처럼 질질 끌려가 그의 방으로 던져졌다.

그는 엉금엉금 기어서 군용 침대 위에 올라가 누웠다. 보들레르의 다른 시 한 구절이 그의 뇌리에서 영감처럼 번득였다.

'차라리 등불을 끄자

암흑 속에 숨기 위해서.'

그는 스위치를 내려 불을 끄고서 캄캄한 침대 속으로 숨어들어갔다. 아직 끝나지 않은 눈물을 흐느끼면서 그는 이렇게 중얼거렸다.

"드디어 혼자다. 드디어 인간의 탈을 쓴 횡포는 사라졌다

드디어 그러니 이젠 한밤의 욕탕 속에 푹 쉴 수가 있구나

지긋지긋한 삶. 아아, 지긋지긋한 인생 오늘 하루를 회고하여 보자."

제3장 악(惡)의 꽃

1

차가 복잡한 시내를 벗어났을 때부터 비가 내리기 시작하였다. 봄비였다. 알이 작아 마치 안개처럼 촉촉한 세우(細雨)였다. 그래도 차창에는 점점이 맺히는 봄비가 자욱이 뿌리고 있었고, 일정한 간격으로 작동하는 윈도 브러시는 부채꼴로 빗물들을 밀어내면서 투명한 반원 형태를 만들고 있었다. 교외로 빠져나가는 외곽 도로는 평일이어서 그런지 생각보다 차량의 통행이 한산하였다. 그는 언덕길로 올라가는 샛길로 접어들었다.

그는 마지막으로 그녀를 만난 적이 언제였던가 하고 옛 기억을 떠올려보았다. 언제인지 정확한 연도가 기억나지 않지만 벌써 10년은 훨씬 넘어 보인다. 10여 년 전에 처음이자 마지막으로 이 길을 지나 지금 찾아가는 수도원으로 장미카엘라 수녀를 만나러 간 적이 있었다. 그때는 버스를 타고 물어물어 찾아왔었지만 지금보다는 훨씬 한적한 교외였었다. 주택가 사이로 드문드문 채마밭 같은 것도 보이고, 군데군데 수목원 같은 것도 남아 있었는데 10여 년 만에 찾아가는 샛길은 전혀 다르게 변해 있었다. 4·19기념탑으로 들어가는 수유리의 옛길은 그대로였지만 양옆의 도로변들은 온통 신축 건물들과 간판을 내건 상가들로 밀집되어 있었다.

지난 겨울에 헐벗었던 나목들은 이른 봄의 양광으로 아직까지 파릇파릇 움이 돋아나고 있을 뿐이지만 마침 내리기 시작한 봄비와 어우러져 뽀오얀 봄 풍경을 연출해내고 있었다. 우중충한 가로수들도 한결 생기를 띠고 기지개를 켜고 있었고 봄이 되면 제일 먼저 피어나는 목련꽃의 봉오리들이 낮은 담장 너머에서 마치 흰 종이로 만든 조화처럼 반짝이고 있었다. 잎보다 먼저 흰 꽃부터 피어나는 목련꽃 사이로 긴 겨울의 철조망 같은 덩굴 사이에서 성급한 개나리꽃들이 노랗게 피어나고 있는 모습이 간혹 보이기도 하였다. 이른 봄이었다. 그처럼 지루하던 겨울도 어느덧 지나가고 봄이 일어선다는 입춘(立春)이었다. 그러나 운전대를 잡고 언덕길을 오르는 그의 마음은 창밖의 화사한 봄 풍경에도 불구하고 계속 무겁기만 하였다.

지난 겨울의 막바지였던 2월 하순, 사순절이 시작되었던 재의 수요일 밤. 그는 자신의 인생을 파괴해버린 S를 성당에서 거의 15년 만에 만나게 되었다. 그는 20여 일 만에 밀실에서 풀려났었다. 그의 두 눈은 체포될 때처럼 안대로 가려졌으며, 고문 기술자들은 그를 차에 태워 알 수 없는 거리를 지나 그의 하숙방으로 데려다 주었다. 풀려나가기 전 고문 기술자들은 그에게 이곳에서 일어난 일은 그 누구에게도 발설치 않겠다는 서약서를 쓰게 하고 열 손가락 모두의 지장을 찍어 맹세를 하게 하였다.

"나가는 순간 이곳에서 있었던 모든 일들은 남김없이 잊어버려라."

S는 헤어지기 직전 그에게 손을 내밀어 악수를 청하면서 그렇게 말하였었다. 그것은 S의 충고가 아니더라도 그의 바람이기도 하였다. 끔찍스런 폭력, 공포스런 고문에 관한 기억들 또한 그 고문 속에 있었던 배신과 배반 등 기억조차 하고 싶지 않은 의식의 잔해들을 모두 그 지옥 속에 던져두고 떠나가리라 그는 결심했었다. 그 지옥의 고문 오피스에 갇혀 있는 동안 언제나 머릿속에 떠오르던 발레리의 시 한 구절 "바람이 분다. 살아야겠다"처럼 마침내 죽지 않고 살아남았다는 기쁨만을 생각하자고 스스로 결심하면서 그는 풀려나왔던 것이다. 그러나 그것은 고통과의 작별이 아니었다. 보다 큰 고통, 보다 큰 공포, 보다 큰 지옥과의 만남이었다.

그는 밤마다 악몽에 시달렸으며, 본능적으로 물이 두려워 세수조차 할 수 없었다. 그는 물을 두려워하는 광견병에 걸린 미친개와 같았다. 그는 자신의 영혼이 미친개처럼 파괴되어버린 것을 알았다. 늘 알 수 없는 공포가 자신을 짓누르고 있었고 극심한 대인기피증에 사로잡히게 되었다. 그뿐인가, 풀려난 지 한 달 만에 그는 영장을 받았는데, 아직 대학생이었으므로 영장을 합법적으로 연장할 수 있었음에도 불구하고 그는 강제로 징집되었고 훈련을 마친 후 자신의 의지와는 상관없이 전방의 최전선 초소에서 군복무를 마칠 수밖에 없었다. 2년의 군대 생활은 그의 의지를 완전히 박탈하였으며, 그를 완전히 노예로 만들었다. 그는 이유 없는 폭력에 시달릴 수밖에 없었다. 부대의 고참들과 장교들은 그를 운동권의 핵심 간부로 인식하고 있었으며 그런 못된 정신 자세를 바로잡는 것은 오직 투철한 군인 정신뿐이라고 굳게 믿고 있었다. 그는 끊임없는 기합과 폭력 속에서 인간 이하의 대접을 받으며 군생활을 마칠 수밖에 없었다.

군대 생활을 마치고 복학하였을 때 그는 자신이 아무런 야망도 미래에 대한 도전 의식도 갖지 못한 거세된 개처럼 느껴졌었다. 학업에 전념할 수 없었고, 고문에 대한 악몽은 여전히 계속되고 있었다.

그 모든 고통이 바로 S와의 만남 그 한순간에서부터 비롯된 것이었다.

일찍이 오스트리아의 심리학자였던 마네스 슈페르버는 유대인으로서 파란만장한 세계 대전과 사회주의 혁명을 체험한 후 '폭력'에 대해서 다음과 같은 글을 쓴 적이 있다.

'폭력에 대해 인간으로서의 품위를 지키자면 생명이 위태로워지는 반면 기본적 인격이 모두 뒤집혀 배신이 충성으로, 거짓이 참말로, 비겁이 명예로 인정받는 마당에서는 개개인의 인격적 탄압과 변질이 실로 엄청나게 이루어지는 것이다. 무죄한 자의 죽음은 틀림없이 인간성의 모독이지만 아마 생존자의 부패보다는 훨씬 덜한 모독인지도 모른다. 폭력이 잉태하는 이런 인간 모독이 철저하게 성공하면 할수록 권력은 명예와 명성을 떨치게 되는 것이다.'

슈페르버의 말처럼 그는 S와의 만남에서부터 모든 가치관이 뒤바뀌어버리는 인격적 탄압과 변질을 경험하게 된 것이다. S에게 있어 배신은 충성이며, 거짓은 참말이며, 비겁이야말로 명예로운 것이었다.

특히, 고문의 기억은 그의 영혼에 씻기지 않는 상처를 남겨주었다. 그는 자의식을 가질 수 없었다. 그는 항상 누군가의 눈을 의식하는 공포에 사로잡혀 있었으며, 누군가가 자신을 조종하고 있다는 환상을 지워버릴 수가 없었다. 고문의 상처보다 더 무서운 고통은 바로 그것이었다. 슈페르버는 이렇게 다시 말하였다.

'권력은 공포를 통해 다스린다. 공포가 적어도 처음에는 제법 잘 통한다. 그러나 공포로 버티어나가려면 그 도수를 점점 더 높여야 하는 것이다. 이렇게 출발한 권력은 다시는 공포를 포기해서는 안 된다. 왜냐하면 공포를 포기하면 권력은 붕괴되기 때문이다. 공포에 대해서는 타협이 있을 수 없다. 따라서 권력에게는 비밀 조종자들이 필요하게 되는 것이다.'

비밀 조종자. 타협이 있을 수 없는 공포의 창조자. 인간의 영혼을 파괴하는 고문의 예술가 S.

봄비는 점점 더 알이 굵어지고 있었다. 따라서 빗물을 밀어내는 윈도 브러시의 속력도 빨라지고 있었다. 그는 운전을 하면서 속주머니에 들어 있는 명함을 꺼내 보았다. 그는 명함에 인쇄된 이름을 읽어보았다.

'신영철'

성당 앞마당에서 악수를 나눌 때 S가 꺼내주었던 명함.

"저는 신영철 가브리엘이라고 합니다. 저희 성당에 새로 오셔서 반갑습니다. 앞으로 자주 만나뵙게 되겠지요."

신영철. 그렇다. S는 자신의 이니셜을 사탄Satan에서 빌려온 것이 아니라 자신의 본명인 신영철에서 따온 것이다. 가브리엘, 대천사 중의 한 사람. 마리아에게 그리스도의 탄생을 알려주기 위해서 사람의 모습으로 나타났던 대천사 가브리엘, 그 가브리엘을 세례명으로 갖고 있는 S. 그를 어떻게 내가 용서할 수 있겠는가. '그리스도 우리의 평화'란 띠를 두르고 있는 S. 그러나 그야말로 악마다. 내 영혼을 파괴하고 내 인생을 송두리째 무너뜨린 비밀 조종자 S. 그를 어떻게 내가 용서할 수 있겠는가.

그뿐인가.

S는 지금 그가 찾아가고 있는 장미카엘라 수녀의 인생마저 바꿔놓은 장본인인 것이다. 그렇다. 그가 찾아가고 있는 장미카엘라 수녀는 바로 S가 고문했던 춘향이, 장미정이었던 것이다.

2

장미카엘라 수녀. 그러니까 장미정은 그에게 있어 항상 마음속에 자리 잡고 있던 고통의 근원이었다. 그는 미정이에게 자신의 배신을 고백해야 한다는 강박관념에 시달리고 있었다. 그녀에게 배반의 장미를 보낸 사람이 다름아닌 자신이었음을 고백해야 한다고 그는 항상 느끼고 있었다. 그녀에게 고백을 하고 용서를 받아야만 그녀에 대한 마음의 빚을 갚을 수 있다고 그는 생각하고 있었다. 만약 그가 장미정의 존재를 발설하지 않았다면 미정은 체포되지 않았을 것이다. 체포되지 않았으면 그녀는 아무런 피해도 입지 않았을 것이다. 그 끔찍스런 고문과 구타와 폭력. 그들은 그의 다리 사이에 각목을 끼우고 벌거벗긴 후 넓적다리를 낡아빠진 고무신짝으로 무자비하게 때렸었다. 실핏줄이 터지고 금방 근육이 부풀어올랐었다. 그 위를 그들은 신발로 짓이겼다. 마찬가지로 그들은 미정을 벌거벗기고 자신에게 했던 폭력 그대로 두 다리 사이에 각목을 끼우고 넓적다리를 낡아빠진 고무신으로 무자비하게 때렸을 것이다. 그뿐인가 그들은 미정의 얼굴에 수건을 씌우고 얼굴을 젖힌 채 그 위에 주전자의 물을 콧구멍을 향해 들이부었을 것이다. 참나무 몽둥이가 어깻죽지 위에 끊임없이 내리꽂혔을 것이다. 아니다. 그보다도 그들은 미정이를 벌거벗기고 여인으로서의 수치심을 송두리째 파괴하였을 것이다. 그들은 성고문을 통해 여인으로서 간직하고 있어야 할 최소한의 자존심마저 짓밟았을 것이다. 그 모든 폭력이 그의 밀고에 의해서 비롯된 것이다.

그는 죄의식에 시달렸다. 고문의 상처보다 그 죄의식이 그를 괴롭혔다. 가롯 유다는 은전 서른 닢에 예수를 배반하였지만 그는 오직 살아남기 위해서 미정이를 배신하였다. 그는 가롯 유다가 어째서 자신이 배신한 예수를 찾아가 용서를 빌지 않고 대사제들과 원로들에게 찾아가 "내가 죄 없는 사람을 배반하여 그의 피를 흘리게 하였으니 나는 죄인입니다"라고 말하였는지 그 이유를 알 수 있을 것 같았다. 가롯 유다는 자신이 배신한 예수를 찾아가는 일이 더욱 고통스러웠을 것이다. 그것은 자신도 마찬가지였다. 그는 미정이를 만나서 자신의 배신을 고백하고 그녀의 용서를 받는 일이 오히려 두려웠다.

밀실에서 풀려난 후 그는 한 달 만에 영장을 받았다. 군대에 가기 전날 밤 그는 미정이를 찾아갔었다. 도저히 용기가 생기지 않아서 그는 혼자서 소주 한 병을 들이켰다. 그 언젠가 경환이와 함께 찾아갔던 명륜동의 골목길을 그는 비틀거리며 걸어갔다. 자신이 그렸던 약도에 적혀 있던 그 로터리와 그 골목길을 정확히 찾아서. 무더운 한여름이었다. 로터리에서는 분수가 치솟고 있었고 골목 어딘가에서는 여전히 누군가 서툴게 치는 피아노 연주 소리가 딩동딩동 하고 들려오고 있었다. 무더위를 식히는 살수차에서 뿌려지는 물처럼 땅거미가 시나브로 내려오고 있는 초저녁이었다.

골목길 막다른 끝에 있는 키 낮은 한옥 앞에 이르렀을 때 그는 미정의 집에 예전 그대로 꽃무늬가 새겨진 커튼이 창문 위에 드리워져 있는 것을 보았다. 날이 몹시 더웠으므로 창문은 활짝 열려 있었다. 골목을 빠져나가는 바람이 열린 창문을 통해서 커튼을 가볍게 흔들고 있었다. 불이 켜져 있는 것으로 보아 방 안에 누군가가 있는 것이 분명하였다.

그는 몇 번이고 그 창문을 두드릴까 하고 망설였다. 그러나 그는 도저히 그 창문을 두드릴 용기가 나지 않았다. 그는 스스로 목매달아 죽은 가롯 유다의 심정을 이해할 수 있을 것 같았다. 그는 뒷걸음질치며 그 자리에서 도망쳤다. 그는 고백을 하고 용서를 비는 행위 대신에 '피의 밭'을 선택하였다. 예수를 배신하여 받은 은전 서른 닢으로 산 '나그네의 묘지.' 그는 그 '나그네의 묘지'를 스스로 선택하였다.

군대에 있는 2년 여 동안 그는 자신이 '나그네의 묘지'에 묻힌 저주받은 영혼이라고 자괴하였다. 운동권 학생으로 낙인찍혀 부대의 고참들과 장교들에게 끊임없는 기합과 부당한 폭력에 시달리면서도 그런 폭력보다 그를 더 괴롭힌 것은 미정이에 대한 죄책감이었다. 그는 몇 번이나 미정이에게 편지를 썼었다. 그러나 그 편지를 한 번도 우표를 붙여 우송해본 적은 없었다. 그는 언제나 그 편지를 찢고 불태워버리곤 했었다.

마침내 군생활을 끝내고 학교로 복학하였을 때 그는 미정이가 이미 학교를 졸업하고 캠퍼스를 떠나버린 것을 알았다. 경환이는 학교에서 제적 당하고 완전히 운동권의 핵심 간부로 투신하여 있었으므로 학교에서 그를 만나는 것도 쉬운 일이 아니었다. 그와 경환이는 서로 가는 방향이 달랐으므로 연락 방법도 완전히 두절되었다.

그는 아무런 야망도 미래에 대한 도전 의식도 갖지 못한 채 거세된 개처럼 남은 학창 시절을 보낼 수밖에 없었다. 법과대학에 진학해서 학업에 정진하여 고시를 패스하고 법관이 되려 했던 꿈은 완전히 사라지고 말았다. 법관은 평생을 교직에 헌신하였던 늙은 아버지의 마지막 소원이기도 하였다. 그러나 그는 공부에 전념할 수가 없었다.

법(法).

그는 그 법에 환멸을 느끼고 있었다. 합법적으로 가장된 불법과 폭력에 대해 그는 본능적으로 혐오를 느끼고 있었다. 법이 무죄한 사람을 보호할 수 있다는 논리를 그는 비웃었다. 법은 보다 강한 자, 보다 큰 권력을 가진 자의 노리개와 같은 것이며, 권력이라는 정체 불명의 괴물이 입은 의상에 지나지 않을 뿐 아니라 인간이라는 야만이 치장하기 위해서 매어단 귀고리와 장식품과 같은 액세서리에 지나지 않는다고 그는 생각하였다.

대학을 졸업할 무렵 그는 경환이를 만났다. 그는 제적된 운동권의 학생 신분에서 이미 재야의 투사로 변해 있었다. 그는 이미 수배 받는 인물이 아니었으며 국회의원의 보좌관으로 일하고 있었다. 거물 야당 의원의 보좌관답게 머리엔 기름을 발라 단정히 빗고 있었고 넥타이를 매고 있었다.

두 사람은 작은 생맥주집에 마주 앉았다.

그는 경환이의 변모보다 우선 미정이의 안부가 궁금하였다. 경환은 언젠가 그에게 고백하지 않았던가.

“난 이다음에 미정이와 결혼을 할 거야. 나는 미정이를 사랑하고 있어.”

그뿐인가.

경환이는 미정이를 베아트리체라고 부르지 않았던가. 단테의 『신곡』에 나오는 구원의 여인 베아트리체.

두 사람은 술을 거나하게 나누어 마셨음에도 미정의 얘기는 일절 꺼내지 않았다. 그는 그것이 궁금하였다. 비록 자신은 미정이의 안부를 당당하게 물어볼 수 없는 입장이라고 할지라도 경환이가 먼저 자신의 베아트리체이자 춘향이인 미정이의 얘기를 꺼낼 수 있지 아니한가. 그러나 술에 취했지만 경환이는 여전히 그 부분에 대해서는 입을 굳게 다물고 있었으므로 그가 먼저 질문을 던져보았다.

“……미정씨 잘 있어?”

그가 묻자 경환은 움찔하는 표정으로 생맥주 한 잔을 다 마실 때까지 아무런 대답도 하지 않았다. 한 잔을 단숨에 들이켜고 나서 경환이는 대답하였다.

“미정이와는 헤어졌어.”

그러고 나서 그는 웃으며 농담을 했다.

“미정이가 고무신을 거꾸로 신었어.”

“미정씨가 고무신을 거꾸로 신다니?”

“미정이에게 새로운 애인이 생겼어. 미정이가 나를 버리고 나보다 더 좋은 사람을 찾아갔어. 어쩔 수가 없었어.”

그럴 리가, 하고 그는 생각했다. 미정이가 경환이를 버리고 새로운 남자를 찾아갔다는 경환의 말을 도저히 믿을 수 없다. 그보다도 경환의 얼굴에는 사랑하는 여인을 떠나보낸 실연의 고통이 전혀 엿보이지 않는다.

"무슨 소리야, 도대체?"

그는 진지한 얼굴로 경환이를 쳐다보았다. 그러자 경환이는 다시 새로운 맥주를 시켜서 한 잔을 다 들이켠 후에야 입을 열어 말하였다.

"미정이에게 나보다 더 좋은 새 사람이 생겼어."

"그게 누군데?"

"바로 예수라는 목수야. 미정이가 나보다도 그 목수를 찾아 나를 떠나 그 사람에게 갔어. 뿐만 아니라 그 예수라는 목수와 이미 결혼식까지 올렸어. 핫하하. 미정이는 이미 유부녀가 되었어."

어리둥절해하는 그의 표정이 재밌다는 듯 낄낄거리며 한참을 소리내어 웃더니 경환이가 말을 맺었다.

"미정이는 수녀가 되었어. 미카엘라, 그것이 미정이의 새 이름이야. 장미카엘라 수녀님. 그것이 미정이의 새 이름이지. 아니 여태까지 그걸 모르고 있었어? 난 네가 충분히 알고 있으리라고 생각하고 있었는데."

경환이의 말은 충격적이었다. 미정이가 자신을 버리고 예수라는 목수와 이미 결혼을 하여 유부녀가 되었다는 경환이의 말은 물론 우스개 농담이었지만 어쨌든 미정이가 수녀가 되었다는 경환이의 말은 그에게 큰 충격이었다.

그렇지 않아도 그는 미정이에게 죄책감을 가지고 있었다. 미정이가 수녀가 되어 '장미카엘라'라는 새 이름을 가지게 되었다는 소식은 마음속으로 지니고 있던 죄책감에 더 많은 무게를 가중시켜 무거운 닻처럼 그를 압박하고 있었다.

미정이가 성직자의 길로 나아간 것은 그 끔찍했던 고문을 통해 세속에 대해 환멸을 느꼈기 때문이며, 그 세속을 끊기로 결심했던 결정적인 이유는 바로 자신의 배신 때문이라는 생각이 들었기 때문이다.

내가 미정이를 수녀로 만들었다.

그는 그렇게 자신을 자책하였다. 그는 경환이를 통해서 미정이가 대학을 졸업하자마자 수녀원으로 들어갔다는 사실을 알게 되었다. 수녀원 중에서도 계율이 가장 엄격한 관상(觀想) 수도회인 가르멜회에 입회하였다는 것이다. 평생을 봉쇄의 규율 속에 갇혀서 끊임없이 기도하고 엄격한 묵상으로 헌신하는 가르멜회의 수녀가 되었다는 것이다.

"난 예수라는 목수에 대해서 질투를 느끼고 있어. 그는 이미 2천 년 전에 십자가에 못 박혀 죽은 죄인인데 왜 많은 여자들이 그 유령과 영혼 결혼식을 올리려 하는지 그 이유를 도저히 알 수가 없어. 미정이까지 어째서 그 예수에게 빼앗겨야 하는지 나는 그 이유를 도저히 알 수가 없어."

술에 취한 경환이는 다소 횡설수설하고 있었다.

"미정이는 내 애인이었어. 그런데 하루아침에 그 예수의 애인으로 고무신을 바꿔 신어버린 거야. 내 참."

경환이는 알고 있을까. 그는 순간 경환이의 푸념 섞인 넋두리를 들으면서 생각했었다. 이 재야의 투사는 알고 있을까. 바로 자신 때문에 내가 겪은 그 끔찍한 고통을. 내가 얼마나 무서운 고문을 겪고 바로 자신을 사흘 간 숨겨줬다는 이유와 단지 친구라는 이유 하나만으로 그 씻을 수 없는 고문의 상처와 견딜 수 없는 인간성 파괴의 후유증을 앓고 있다는 사실을. 그뿐인가. 미정이가 세속을 버리고 평생 봉쇄 수녀원인 가르멜회의 수녀로 입회한 것도 결국 경환이 때문이 아닌가. 경환이의 여자 친구라는 이유 하나 때문에 그녀는 체포당하고 구타와 폭력에 희생당했으며 끔찍스런 물고문과 성희롱을 당했다. 그러한 고통스런 희생을 경환은 과연 짐작이나 하고 있는 것일까.

그날 밤. 그는 경환이를 통해 미정이가 속해 있는 가르멜 수녀원의 위치를 알 수 있었다.

'은수자(隱修者)의 골짜기'라고 불리는 가르멜 수녀원은 수유리에 있으며 장미정 아니 장미카엘라 수녀는 그곳에서 종신 서원을 거쳐 이미 정식 수녀가 되어 있다는 것이다.

그 이후부터 그는 마음속에 장미카엘라 수녀의 존재를 담고 있었다. 군대에 입영하기 전날 밤에 찾아갔다가 차마 고백하지 못하고 돌아섰던 마음의 빚을 언젠가는 수유리에 있는 가르멜 수녀원을 찾아가 장미카엘라 수녀를 면회하고 그곳에서 자신의 배신을 고백함으로써 갚으리라 결심하고 있었던 것이다. 그러나 이 결심이 실제로 행동으로 옮겨진 것은 그 이후로부터도 2, 3년이 지난 일이었다.

그는 태어나자마자 유아 세례를 받은 가톨릭 신자였다. 그것은 독실한 신앙인이었던 어머니의 영향 때문이었다. 그의 세례명은 베드로였고, 실제로 그는 아주 어렸을 때 어머니 품에 안겨 성당에 드나들었던 기억을 어렴풋이 가지고 있었다. 그러나 그의 신앙은 어머니가 돌아가심으로써 자연스럽게 단절되었다. 어머니는 그가 다섯 살 무렵 갑자기 병으로 돌아가셨으므로 그의 마음에 신앙이 뿌리내릴 겨를이 없었던 것이다. 그는 어쩔 수 없이 냉담자가 될 수밖에 없었다. 그러나 비록 성당에는 나가지 않는다 해도 태어나자마자 유아 세례를 받고 세례명이 베드로라는 기억은 언제 어디서나 그의 뇌리에서 사라진 적이 없었다. 그가 냉담을 풀고 가톨릭으로 복귀할 수 있었던 것은 바로 결혼을 앞두고 혼배 성사를 올릴 무렵이었다. 독실한 가톨릭 신자였던 아내는 당연히 성당에서 결혼식을 올리고 싶어하였고 그는 신부로부터 일시적으로 관면(寬免)을 받아 혼인은 허락받았지만 아예 이 기회에 총 고백을 하고 세례를 새롭게 한 다음 첫 영성체를 하리라 결심하였다. 그는 아내와의 약속을 지켜 이 모든 과정을 성실히 수행하였다.

그리하여 결혼을 이틀 앞두었을 때 그는 문득 오랫동안 미루고 있었던 결심을 이제는 실행에 옮길 때가 되었다고 생각했다. 그 마음이 변하기 전에 그는 서둘러 버스를 타고 물어물어 교외에 있는 수유리의 가르멜 수녀원으로 미정이를 찾아갔다.

그가 알고 있는 유일한 정보는 2, 3년 전에 경환이로부터 들은, 미정이가 수유리에 있는 가르멜 수녀원에 있다는 것. 이미 종신 서원을 거쳐 정수녀가 되었다는 것. 그녀의 이름은 장미카엘라 수녀라는 것뿐이었다. 그래서 물어물어 그 수녀원을 찾아가면서도 그동안 미정이가 다른 수녀원으로 옮겨갔는지 아니면 그대로 그곳에 머무르고 있는지, 그곳에 그대로 머무르고 있다고 하더라도 엄격한 봉쇄 수도원이라, 찾아가도 만날 수 있는 것인지 그 모든 것이 미지수였던 것이다. 그러면서도 그는 어쩔 수가 없다고 생각하였다. 찾아가서 못 만나고 허탕을 쳐도 더 이상 어쩔 수가 없다고 생각했던 것이다.

그때도 한창 봄이어서 온갖 꽃들이 만발하고 있었다. 특히 벚꽃이 만개하였던 절정의 봄날이었다. 온 산과 온 숲에 흰 눈이 내린 듯 벚꽃들이 하얗게 뒤덮고 있었다. 다소 경사진 언덕길에 수녀원이 위치하고 있었는데 그곳으로 올라가는 양 옆에는 신흥주택이 늘어서 있었고, 마침 짓궂은 봄바람이 산 위에서부터 불어 내려오고 있었는지 만발한 벚꽃에서부터 난분분난분분 잔설이 흩날리듯 낙화가 떨어지고 있었다.

수녀원의 위치를 몰랐으므로 주민들에게 물어보곤 하였는데 그들은 한결같이 언덕 위의 산자락을 가리키며 가르쳐주었다.

과연 수녀원은 주택가에서도 후미진 곳에 자리 잡고 있었다. 두터운 녹색 철문이 가로막고 있었다. 그러나 다행스럽게도 그 철문 한옆에 사람이 드나들 수 있는 쪽문이 따로 나 있었고 그 쪽문은 열려 있었다. 그곳이 사람의 출입을 엄격히 통제하는 봉쇄수녀원이라는 것을 잘 알고 있었던 그는 자유롭게 드나들 수 있는 쪽문이 활짝 열려 있는 것을 보자 우선 마음이 놓였다. 그는 조심스럽게 쪽문을 열고 수녀원 안으로 들어가보았다.

수녀원은 한낮의 정적 속에 잠겨 있었다. 정면으로 아기 예수를 품에 안고 있는 성모상이 보였고 그 성모상 아래로 작은 꽃밭이 있었다. 그 꽃밭에는 꽃들이 마치 온갖 물감을 개어놓은 팔레트의 화판처럼 형형색색으로 피어나 있었다. 그 위에서 눈부신 봄 햇살이 세공으로 빚어낸 색유리처럼 반짝이고 있었다.

그는 누군가 안내해줄 사람이 없을까 주위를 살펴보았지만 아무도 없었다. 수도원은 텅 비어 있었다. 너무나 조용해서 꽃들 사이로 날아다니는 꿀벌들의 붕붕거리는 날갯짓 소리가 들려올 정도였다. 그는 눈에 띄는 대로 왼쪽 건물 앞으로 다가가보았다. 십자고상이 건물 벽에 새겨져 있는 것으로 보아 아마도 성당일 것이라고 생각하고 있었는데 문을 열고 안을 들여다보니 과연 작은 성당이었다. 몇 개의 나무 의자가 가지런히 놓여 있었고 벽의 스테인드글라스를 통해 채색된 햇살이 성당 안으로 스며들어와 긴 꽃그림자를 텅 빈 성당 안에 드리우고 있었다. 그는 내친 김에 구두를 벗고 성당 안으로 들어갔다. 그는 성수대에서 성수를 찍어 성호를 그으며 텅 빈 성당의 좌석에 앉았다. 그는 좌석 앞에 있는 간이용 발판을 빼어 무릎을 꿇고는 제대 위에 있는 십자가를 우러러보았다.

지극히 단순해서 모든 것을 생략한 십자가상은 마침 쏟아져 들어오는 햇살을 반사하며 떠오르고 있었다.

그는 무릎을 꿇고 주머니 속에 늘 갖고 다니는 작은 묵주를 꺼내어 손바닥에 올려놓은 후 두 손을 모아 합장을 하였다. 그는 이렇게 기도하였다.

'주님, 저는 이제 장미정 아니 장미카엘라 수녀를 만나려 합니다. 그녀를 만나 모든 사실을 고백하려 합니다. 그녀에게 본의 아니게 저질렀던 모든 죄를 고백하고 용서를 청하려 합니다. 그러하오니 주님 저에게 용기를 주시어 모든 것을 있는 그대로 하나도 남김없이 고백할 수 있도록 은총 내려주소서. 그리하여 장미카엘라 수녀에게 용서를 받게 하여주소서. 이제 이틀 뒤면 저는 결혼식을 올립니다. 결혼식을 올리기 전에 이렇게 제가 미카엘라 수녀를 찾아온 것은 그녀에게 고백을 하고 용서를 청함으로써 저와 제 아내가 올리는 혼배 성사를 보다 깨끗하고 거룩하게 하기 위함입니다. 그러하오니 주님, 저를 도와주십시오. 저에게 은총 내려주십시오.'

기도를 마친 후 그는 성당을 나왔다. 그는 용기를 내었다. 그는 맞은편 건물 쪽으로 다가갔다. 문을 열고 안으로 들어서자 건물 안에 한 사람이 앉아 있었다. 검은 옷을 입은 수녀였는데 나이가 든 할머니 수녀였다. 그 수녀는 햇살이 비치는 창가 쪽에 의자를 놓고 앉아서 손에는 수틀을 들고 수를 놓고 있었다.

"무슨 일이세요?"

할머니 수녀는 수를 놓다 말고 들어오는 그를 맞으며 활짝 웃어 보였다.

그는 더듬거리며 대답하였다.

"수녀님을 면회 왔습니다."

"누군데요?"

"장미카엘라 수녀님입니다."

"장미카엘라 수녀님이오?"

할머니 수녀는 검은 수도복으로 머리 전체를 가리고 있었다. 목도 흰 베일로 가리고 있어 보이는 것은 얼굴뿐이었다. 부드러운 미소를 띠고 있는 그녀의 눈은 그러나 날카롭게 그를 응시하고 있었다.

"그, 그렇습니다."

그는 대답하였다.

"어떻게 되는 사인가요?"

차를 타고 이곳까지 오는 동안 수녀원에서 자신에게 그렇게 물어보리라는 것은 미리 짐작하고 있었다. 평생 봉쇄 수도원인 가르멜 수도원에서 기도 생활에 전념하고 있는 수녀를 면회하러 온 사람에 대해 의심의 눈초리를 보내는 것은 당연한 일이라고 그는 생각하고 있었다. 그는 미리 준비해두었던 대답을 했다.

"동생입니다."

"친동생이신가요?"

할머니 수녀는 다시 그를 정면으로 쳐다보았다. 그는 솔직하게 대답하였다.

"친동생은 아 아닙니다. 하지만 우리는 같은 학교에서 학창생활을 보냈던 친남매와 다름없는 사이입니다."

"좋습니다. 성함이 어떻게 되시는지요?"

할머니 수녀가 묻자 그는 천천히 대답하였다.

"최성규 베드로라고 합니다."

할머니 수녀는 그의 이름을 종이 위에 받아 적었다.

"잠깐 기다려주시겠어요. 장미카엘라 수녀님에게 말씀을 전해드리겠습니다. 미리 말씀을 드리지만 장미카엘라 수녀님이 침묵 중에 계시거나 기도 중이시라면 면회는 하실 수 없게 됩니다. 또한 장미카엘라 수녀님이 원치 않는다면 자동적으로 면회는 금지됩니다. 아시겠어요."

"알겠습니다."

할머니 수녀는 건물 안으로 사라졌다. 그는 봄 햇살이 투명하게 새어들어오는 창가에 계속 서 있었다. 반쯤 열린 창문으로 무심코 들어온 꿀벌 하나가 좀처럼 출구를 찾지 못하고 열심히 유리창에 몸을 비비고 있었다. 그는 손을 휘저어 꿀벌을 쫓아내어 방향을 잡아줌으로써 꿀벌에게 자유를 찾아주었다.

수녀복의 검은 빛깔은 하느님과 교회에 봉사하기 위해 자신을 봉헌하고 세속에선 이미 죽었다는 의미를 지니고 있다는 상식을 문득 그는 떠올렸다. 그러자 장미정 아니 장미카엘라 수녀 역시 이미 이 세속에서는 죽어버린 존재라는 사실을 그는 새삼스럽게 떠올렸다.

그때였다. 할머니 수녀가 건물 안에서부터 다시 나타났다.

"따라오시겠습니까."

좁고 어두운 복도를 따라 걸으면서 그는 마침내 장미카엘라 수녀를 만나게 되었다고 생각했다. 이곳까지 물어물어 찾아오면서도 과연 그녀를 만날 수 있을까, 반신반의하고 있었던 것이었다. 복도 끝방에 이르러 할머니 수녀는 방문을 열었다. 아주 작은 방이었다. 벽에는 십자가상이 내어걸려 있었고, 성모상이 방 한구석에 놓여 있을 뿐 텅 빈 방 안이었다. 방은 두 칸으로 나뉘어 있었다. 철창의 안쪽은 두터운 칸막이의 커튼으로 가려져 있었고 작은 창구 하나가 마련되어 있었다. 그 창구를 두터운 나무문이 가로막고 있었다. 그 창구 앞 정면에 딱딱한 나무 의자 하나가 놓여 있었다.

"의자에 앉아 기다리세요."

할머니 수녀가 그에게 말하였다. 그는 시키는 대로 의자에 앉았다. 그를 안내했던 할머니 수녀는 방문을 닫고 사라졌다. 그는 잠시 얼마 만에 자신이 장미카엘라 수녀를 만나는 것일까 과거를 회상해보았다. 고문실의 폐쇄 회로를 통해서 S와 함께 미정의 고문 장면을 지켜본 것이 그녀를 본 마지막이었던 것이다. 그

동안 벌써 5, 6년의 세월이 흘러가버린 것이었다. 그녀는 그동안 세속을 버리고 가르멜 수도원의 수녀가 되었으며 그는 군복무를 마치고 복학한 뒤 졸업을 하고 고등학교에 취직하여 평범한 교사가 되어버린 것이다. 그리고 이틀 뒤면 결혼식을 올리게 된다. 그동안 미정이는 어떻게 변하였을까. 그는 가슴이 뛰었다. 자신의 죄를 고백하고 용서를 받음으로써 그동안 무겁게 짓누르고 있었던 마음의 빚을 청산하고 싶다고 생각하면서도 그는 한편 미정이를 만난다는 사실이 무섭고 두려워 당장이라도 벌떡 일어나 도망쳐버리고 싶은 심정이었다. 그러나 그는 이를 악물고 자신의 감정을 억제하였다.

마침내 칸막이 벽 저편에서 조용한 인기척이 있었다. 공기의 떨림 같은 미세한 진동이었다. 짧은 침묵 끝에 천천히 두 개의 방을 연결하는 유일한 통로인 창구의 나무 문이 양 옆으로 벗겨졌다. 안쪽에서부터 검은 수녀복을 입은 한 얼굴이 조용히 떠오르고 있었다. 머리까지 두른 검은 수녀복, 얼굴을 제외한 모든 부분을 가린 흰 칼라, 어깨에는 스카풀라라 불리는 긴 검은 옷을 드리우고 있어 얼핏 보면 낯이 설었지만 그 검은 수녀복 위에 떠오르고 있는 얼굴은 분명히 오랜만에 보는 미정이의 얼굴이었다. 아니다. 그 검은 수녀복으로 인해 그녀의 얼굴은 상대적으로 희게 떠오르고 있었는데 내부에서부터 빛이 스며나오는 것 같아 그는 눈이 부셔 제대로 미정이의 얼굴을 마주 볼 수 없었다.

"오랜만이네요. 오빠."

미정이가 먼저 입을 열어 말하였다. 예전 그대로의 맑고 명랑한 목소리였다. 벌써 5, 6년의 세월이 흘러갔지만 그녀의 얼굴은 조금도 젊음을 잃고 있지 않았다. 아니 예전보다 더 젊고 아름다워 보였다. 세속을 버리고 욕망을 버린 수도자만이 가질 수 있는 마음의 평온이 그녀의 얼굴을 보다 더 아름답고 보다 더 거룩하게 만들었기 때문일까. 미정이의 얼굴은 사람의 얼굴이라기보다 성화 속에 나오는 천사의 얼굴을 닮아 있었다.

"어떻게 된 일이에요? 오빠가 이곳으로 면회까지 다 오시고."

그는 더듬거리며 대답하였다.

"오 오래전부터 온다온다 하면서도 마 마음에 여유가 없었어요."

그는 예전처럼 반말을 할 수가 없었다. 그래서 존댓말을 쓰기로 하였다.

"이틀 뒤면 내 내가 결 결혼식을 올립니다. 그래서 청첩장을 가져왔어요. 장미카엘라 수녀님."

그는 주머니에서 접힌 청첩장을 꺼냈다. 칸막이의 밑부분으로 간단한 물건을 건네주고 받을 수 있는 작은 통로가 따로 마련되어 있었다. 그는 그 통로에 청첩장을 밀어넣었다. 장미카엘라 수녀는 그가 내민 청첩장을 받아 펼쳐서 읽어보았다.

"축하해요, 베드로오빠. 청첩장에 그렇게 이름이 씌어 있네요. 비록 참석하여 축하를 드릴 수는 없겠지만 베드로오빠를 위해 기도를 바쳐올릴게요."

"행 행복하십니까. 장미카엘라 수녀님."

그는 불쑥 질문을 던졌다. 그는 감정의 혼란을 느끼고 있었다. 그의 질문을 받자 장미카엘라 수녀는 대답 대신 미소를 띠었다. 그 미소는 이 지상의 미소가 아니었다. 손만 뻗치면 닿을 수 있는 칸막이로 나뉘어 있지만 이쪽이 지상이라면 저 안의 세계는 천상의 세계이며 이쪽이 지옥이라면 저 안의 세계는 천국의 세계처럼 보였다.

"내가 오늘 장미카엘라 수녀님을 찾아온 것은 고 고백을 할 것이 있어서입니다."

그는 이마 위에서 흐르는 땀을 수건으로 닦아내리며 말을 꺼냈다. 그는 서두르고 있었다.

"솔 솔직히 말씀드리자면 지난 수년 간 장미카엘라 수녀님에 대한 죄의식으로 잠 잠시도 마음이 편했던 적이 없었습니다. 군대에 있는 동안에도 수십 번 편지를 썼다가는 지우곤 하였습니다. 또한 수녀님이 이 가르멜 수녀원에 입회하였다는 말을 전해 듣고도 언젠가는 찾아가 내가 지은 죄를 고백하여 용 용서를 청하리라 결심은 했으면서도 아직까지 행동으로 옮길 수는 없었습니다. 그런데 이제 결혼을 앞두고 이렇게 용 용기를 내었습니다. 장미카엘라 수녀님에게 죄를 고백하지 않고서는 도저히 성스러운 혼례 미사를 온전하게 치를 수 없을 것 같았기 때문이었습니다."

"잠깐, 잠깐만요. 베드로오빠."

서두르는 그의 말을 끊으며 장미카엘라 수녀가 말을 받았다.

"도대체 저에게 무슨 고백을 하시겠다는 것인가요. 저에게 베드로오빠가 죄를 지었다구요?"

"장미카엘라 수녀님."

그는 떨리는 소리로 말하였다. 그의 가슴이 터질 것처럼 부풀어오르고 있었다.

"나는 미카엘라 수녀님에게 용서받을 수 없는 죄를 저질렀습니다. 수녀님. 오래전 나는 정체를 알 수 없는 수사 기관에 체포되었습니다. 그곳에서 나는 상상도 할 수 없는 폭력과 고문을 당했습니다. 닷새 동안 한잠도 잘 수 없었으며 목구멍으로 들이붓는 물고문을 당하면서 차라리 죽어버렸으면 좋겠다고 자살의 충동을 느끼기도 했 했었습니다. 그러나 나는 무 무서웠습니다. 이대로 고문을 당하다가 아무도 모르게 생매장을 당하여 죽어버리는 것이 아닐까, 두 두려웠습니다. 그들은 내 내게 말하였습니다. 누군가 한 사람의 이름을 분다면 너를 자유롭게 풀어주겠다며 유혹하였습니다. 저는 살 살고 싶었습니다. 내가 살기 위해서 떠올린 것은 바로 장미정이란 이름이었습니다. 나는 수사관에게 장미정이라는 이름을 털어놓고 장미정이 살고 있는 집의 약도를 백지 위에 상세하게 그 그렸었습니다."

그는 헐떡이고 있었다. 숨이 막혀 제대로 목소리가 나오지 않고 있었다. 그는 필사적으로 허우적거리면서 목소리를 토해냈다.

"……그리고 이틀 뒤였던가요. 나는 밀실로 끌려가 폐쇄 회로를 통해 낱낱이 생중계되고 있는 장 장미정의 고문 모습을 지켜보았습니다. 물고문 장면도 지켜보았고, 질식하여 거의 죽음 직전에 이른 처 처참한 모습도 지켜보았습니다. 그 모습은 지옥의 풍경이었습니다. 그날 밤부터 나는 악몽에 시달리기 시작하였습니다. 장미정을 밀고한 사람은 바로 나다. 장미정에게 평생 씻을 수 없는 상처를 입힌 사람은 바로 나다. 그리고 고문 밀실에서 풀려난 뒤 한 달 뒤에 나는 갑자기 영장이 나와서 군대로 끌려갈 수밖에 없었습니다."

목에 걸린 병마개와 같은 이물감이 서서히 사라졌다. 지난 수년 간 그를 억압하던 감정의 제어 장치가 서서히 풀리는 모양이었다. 그는 더 이상 고통을 느끼지 않았다.

"……군대에 가기 전날 밤에도 나는 명륜동으로 장 장미정을 만나러 갔었습니다. 그러나 집 앞에 갔었으면서도, 활짝 열린 창문을 통해 바람에 흔들리고 있는 꽃무늬 커튼을 보았으면서도 나는 차마 그 창문을 두드릴 수 없었습니다. 그대로 돌아설 수밖에 없었습니다. 군대에 있는 동안에도 나는 언제나 장미정을 생각하고 있었습니다. 내가 저질렀던 잘못을 솔직히 털어놓고 용용서를 빌어야 한다고 나는 생각했었습니다. 그래서 수많은 편지를 쓰고 또 썼지만 차마 부칠 수는 없었고 언제나 찢어버리기만 했었습니다. 군대를 마치고 학교에 다시 복교하였을 때 이미 장미정은 졸업을 하고 학교를 떠났음을 알게 되었습니다. 그러던 어느 날 우연히 한경환을 만났습니다."

그는 고백 중에 한경환의 이름을 꺼내놓는 순간 갑자기 멈칫거렸다. 두 사람이 한때 다정스러운 연인 사이였다는 자의식이 문득 떠올랐기 때문이었다. 경환이는 미정이를 자신의 연인이며, 베아트리체며 언젠가는 결혼할 상대자로 점찍어놓고 있었으며, 장미정은 경환이를 자신의 이도령으로 생각하고 있던 춘향이였다. 그는 순간 말을 끊고 검은 수녀복을 입고 있는 장미카엘라 수녀를 바라보았다. 그 순간만은 그녀가 장미카엘라 수녀가 아니라 장미정인 것 같았다. 그녀는 기억하고 있을까. 한경환의 편지를 들고 간 그에게 주었던 미정의 답장. 그 답장을 그는 물에 적셔 면도칼로 조심스럽게 봉투를 연 후 몰래 읽어보았었다. 그 편지 속에서 그녀는 서정주의 시 한 수를 써보냈었지. 그 시의 제목은 춘향이가 남긴 마지막 노래라는 '춘향유문(春香遺文)'이었지. 아름다운 연가. 자신을 춘향이라고 부르고, 한경환을 도련님이라고 노래하였던 장미정이 저 안에 있다. 검은 수녀복을 입고 얼굴 전체를 검은 베일로 가리고서. 장미카엘라라는 수녀의 이름으로.

그러나 멈칫거리며 짧게 침묵을 지키던 그와는 달리 장미카엘라 수녀의 얼굴에는 전혀 표정의 변화가 없었다. 그녀는 처음부터 보여준 그 미소 그대로 그의 말을 경청하고 있을 뿐이었다. 그는 다시 말을 이어내려갔다.

"……경환이를 통해 놀라운 사실을 알게 되었습니다. 장미정이 수녀가 되어 평생 봉쇄 수도원에 입회하였다는 말을 전해 들게 된 것입니다. 그 말을 듣자 나는 전보다 더 심한 죄책감에 사로잡히게 되었습니다. 나는 알고 있습니다. 나는 지금도 고문에 시달리는 악몽을 꾸고 있습니다. 밤마다 비명을 지르며 깨어납니다. 한때는 물로 세수도 하지 못하고, 이도 닦지 못하였습니다. 마치 물만 보면 무서워하는 공수병(恐水病)에 걸린 미친개처럼 말입니다. 지금도 수도꼭지에서 떨어지는 물소리만 들으면 소름이 끼칩니다. 이미 수년 전의 일들이 아직도 내게 지워지지 않은 상처로 남아 있는 것입니다. 하물며 장미정이 나보다 더 깊은 상처의 후유증으로 고통을 받고 있는 것은 분명한 일일 것입니다. 그래서 나는 장미정이 수녀가 되었다는 말을 듣는 순간 그것은 전적으로 내 책임이라는 생각이 들었습니다. 그럼에도 불구하고 나는 장미카엘라 수녀를 찾아올 수 없었습니다. 찾아와서 죄를 고백하고 용서를 청해야 한다는 사실을 알고 있었으면서도 차일피일 미루고 있었습니다. 이제야 내가 찾아올 수 있었던 것은 개인적으로는 지금까지 멀리하였던 냉담을 풀고 첫 영성체를 하였으며, 또한 결혼식을 앞둔 상태에서 모든 마음을 정리하고 마음을 깨끗이 하기 위해서였습니다."

그는 모든 말을 끝내었다. 오랫동안 마음에 품고 있던 고백의 내용이었으므로 막히는 데가 없었다. 마음의 갈등도 느껴지지 않았다. 장미카엘라 수녀는 한마디도 하지 않았다. 지금은 그가 하고 싶은 대로 모든 말을 할 수 있도록 도와주는 것이 최선의 방법인 것처럼 미소를 띤 채 깊은 침묵을 지키고 있을 뿐이었다.

"장미카엘라 수녀님."

그는 장미카엘라 수녀의 얼굴을 정면으로 보았다. 두 사람의 눈이 마주쳤다. 순간 그의 목소리가 떨리기 시작하였으며 그의 가슴에 무엇인가 뜨거운 용암이 흘러내리는 것 같았다.

"장미카엘라 수녀님, 내가 잘못하였습니다. 내가 장미카엘라 수녀님을 밀고하였으며, 평생 씻을 수 없는 마음의 상처를 남기게 하였습니다."

"오빠."

순간 그의 말을 막으며 장미카엘라 수녀가 입을 열었다.

"너무 죄의식을 갖지 마세요. 베드로오빠. 그것은 모두 지난 일들이에요. 그리고 오빠가 저를 밀고하였던 것은 당연한 일이에요. 오빠가 제 집 약도를 그려서 제가 체포되었던 것도 어쩔 수 없는 일이었으니까요. 베드로오빠."

장미카엘라 수녀의 두 눈이 그의 얼굴을 마주 보고 있었다. 그러나 그녀의 두 눈은 그의 심장을 거쳐 그의 마음을 꿰뚫고 있는 것처럼 느껴졌다.

"저도 마찬가지였을 거예요. 저 역시 경환이오빠가 숨어 있는 장소를 알았다면 그 사람들에게 그것을 고백하지 않을 수 없었을 거예요. 다행히도 저는 경환이오빠가 숨어 있는 곳을 몰랐을 뿐이었어요. 알았더라면 저 역시 두렵고 무서워서 죽음으로부터 도망쳐서 살고 싶어서 경환이오빠가 숨어 있는 장소를 밀고했을 거예요. 그러니까 오빠, 괴로워하지 마세요. 저에게 죄의식을 가질 필요는 없어요."

"장미카엘라 수녀님."

그는 의자에서 일어나 그녀 앞에 무릎을 꿇고 싶었다. 그러나 그는 의자에 우두커니 앉아 있었다. 그의 두 눈에서 뜨거운 눈물이 흘러내리기 시작하였다.

"나를 용 용서해 주 주시겠습니까."

그는 울고 있었다. 눈물이 그의 두 뺨을 타고 흘러내렸다. 손등으로 닦아도 소용이 없었다. 닦아도닦아도 계속 흘러내리고 있었기 때문에 그는 그대로 내버려두었다. 그때였다. 장미카엘라 수녀가 조용히 입을 열어 말하였다.

"베드로오빠, 오빠를 위해 노래를 한 곡 불러드릴게요."

그러고 나서 곧바로 장미카엘라 수녀는 노래를 부르기 시작하였다. 슈베르트의 「아베 마리아」였다. 그는 장미정의 노래를 한 번도 들은 적이 없었다. 그래서 장미정이 그와 같이 아름다운 목소리를 갖고 있었던 것을 전혀 알지 못했다. 장미카엘라 수녀의 목소리는 천상에서 들려오는 노랫소리와 같았다.

"아베 마리아 성모님. 방황하는 내 마음 그대 앞에 꿇어앉아 기도하오니 들어주소서……"

원래 아베 마리아는 교회의 천사 축사(天使祝詞)라 불리는 기도문이었다. "죄인인 우리들을 위해 지금도 우리 죽을 때에도 기도해주소서. 아멘" 하고 기도문으로 끝나는 노래의 가사가 장미카엘라 수녀의 노래 속에서 부드럽게 흔들리고 있었다. 그는 자신도 모르게 두 손을 모아 합장하였다. 무어라고 알 수 없는 따뜻한 위로의 느낌이 장미카엘라 수녀의 노래 속에서 흘러넘치고 있었다. 그의 얼굴에서 더 이상 눈물은 흐르지 않았다. 그의 마음에 짓누르고 있던 딱딱한 암벽의 지층들이 송두리째 무너져 사라져버린 것을 그는 알았다.

"성모여, 죄 많은 우리를 돌보아주옵소서. 아베 마리아."

천천히 노래는 끝이 났다. 그와 동시에 장미카엘라 수녀는 조용히 말을 끝맺었다.

"베드로오빠, 그러면 안녕히 가세요. 오빠의 결혼을 축하해요. 기도를 드릴게요."

천천히 아주 천천히 칸막이 나무판자가 닫혔다. 동시에 그녀의 얼굴은 흔적도 없이 사라졌다. 잠시 떠올랐다 사라지는 신기루(蜃氣樓)처럼.

3

그것이 벌써 10여 년 전의 일이었다. 마지막으로 장미카엘라 수녀를 만났던 것이 벌써 10여 년 전의 일이었던 것이다.

10여 년의 세월이 흐르는 동안 도로는 많이 변해 있었다. 교외로 빠져나가는 간선 도로들이 많이 개설되어 있었기 때문에 단순하여 찾기 쉬웠던 옛 도로망과는 달리 수녀원으로 가는 길은 한층 복잡하였다.

막연히 수도원으로 들어가는 길목 어딘가에 절 이름이 적힌 이정표가 걸려 있었던 것이 새삼스럽게 떠올랐다. 절 이름이 무엇이었더라 하고 그는 운전대를 잡은 채 생각하여보았다. 그러나 절 이름은 떠오르지 않았다. 네거리로 갈라지는 로터리를 두어 개 지나자 푸른 도로 표지판에 화계사(華溪寺)라는 이정표가 적혀 있는 것이 눈에 들어왔다. 그는 왼쪽 회전등을 켜고 화계사로 들어가는 좌회전 길로 접어들었다.

완전히 봄이었다.

교외로 나아갈수록 봄기운은 한층 더 완연하였다. 아직 푸른 잎이 본격적으로 돋아난 것은 아니었지만 움이 트고 있는 나무들은 마침 내리기 시작한 봄비를 맞고 한결 생기에 가득 차 보였다. 한참을 걸어도 옷 속으로 스며들 봄비는 아니었고 안개보다도 섬세한 빗방울은 참빗처럼 지난 겨울 동안 헝클어지고 때묻은 대지의 숲과 나무들의 머리칼을 감고 그것들을 정성들여 빗질하고 있었다. 온 누리를 적시는 부드러운 빛이 어디서부터인지 뚜렷한 방향도 없이 스며들어와 나무들의 잔뿌리를 적시며 겨우내 잠들었던 나무들을 한꺼번에 반짝반짝 눈을 뜨게 만들고 있었다.

순간 신호가 바뀌어 화살표의 신호등이 켜졌다. 그는 신호를 받아 좌회전을 해서 화계사로 들어가는 도로로 빠져들었다.

이제는 됐다고 그는 생각하였다. 수녀원으로 들어가는 간선 도로를 찾았으니 수녀원을 찾는 것은 손쉬운 일이라고 그는 마음을 놓았다. 그러자 갑자기 10여 년 전에 들었던 장미카엘라 수녀의 노랫소리가 귓가에서 들려오고 있는 것 같은 느낌이 들었다.

그녀의 목소리는 아름답다기보다는 영혼의 내부에서 타오르는 불꽃과 같은 뜨거움으로 가득 차 있었다. 그래서 그녀의 목소리는 타오르는 촛불이 되어 그의 영혼에 뜨거운 촛농으로 부어내렸다. 아베 마리아. 죄인인 우리들을 위해서 이제와 우리 죽을 때에 기도하여주소서.

그녀가 사라진 후에도 그는 한참 동안을 딱딱한 나무 의자 위에 앉아 있었다. 장미카엘라 수녀가 자신을 용서해주었는가 하는 의문이 들었기 때문이었다. 그는 직접적으로 그녀로부터 용서를 해준다는 분명한 대답이 없었다는 사실을 새삼스럽게 떠올렸다.

그러면 그때 나는.

낮익은 간선 도로를 달려나가면서 그는 지난 기억을 떠올려보았다.

그때 나는 장미카엘라 수녀로부터 용서를 받았던 것일까. 아니면 용서를 받지 못하였던 것일까.

그는 머리를 끄덕이며 중얼거려 말하였다.

나는 장미카엘라 수녀로부터 용서를 받았다. 비록 나를 용서해달라는 그의 마지막 호소에도 불구하고 그녀로부터 '예' 혹은 '아니오'라는 분명한 대답을 듣지 못하였지만 그를 위해 불러주는 「아베 마리아」의 노랫소리야말로 간접적으로 그를 용서한다는 묵시적 암시가 아니고 무엇이겠는가. 더 이상의 용서가 어디에 있겠는가. 그를 용서하지 못하였다면 어떻게 용서할 수 없는 그 사람을 위해 노래를 불러줄 수 있을 것인가. 그보다도 장미카엘라 수녀를 만나고 온 이후부터 그는 더 이상 죄의식에 시달리지 않을 수 있었다. 그것은 기적과 같은 일이었다. 그녀를 만나기 전 5, 6년 동안 장미정은 그의 고통의 근원이었다. 그런데 그 고통의 근원이 단 한 번의 고백으로 완전히 뿌리 뽑힌 사실을 그는 깨달았다. 죄의 상처는 오직 고백에 의해서만 치유되는 것일까. 장미정에 대한 죄책감. 그 죄책감에 따른 상실감과 자기 모멸, 그 자기 모멸에 따른 절망감. 생명을 갉아먹는 그 어둡고 우울한 자학의 고통이 씻은 듯이 치유됐음을 그는 깨달았다.

그렇다. 그는 용서를 받은 것이 아니라 죄의 고백을 통해 스스로를 용서할 수 있게 된 것이었다. 그는 장미카엘라 수녀로부터 용서를 받은 것이 아니라 자신에게 자신을 용서받은 것이었다.

그런데.

그는 다시 수녀원으로 올라가는 2차선의 도로로 접어들었다. 그곳은 예나 지금이나 변함없이 주택가로 형성된 좁은 골목이었다. 그 골목길을 따라 언덕길을 올라가면서 그는 생각하였다.

절대로 나는 용서할 수 없다.

10여 년 전 내가 장미카엘라 수녀를 찾아갔던 것은 그녀를 만나서 자신이 그녀를 밀고한 장본인이며 그녀에게 고문의 상처를 준 배신자였음을 고백하고 그 용서를 받기 위해서였다면, 이번에 장미카엘라 수녀를 찾아가고 있는 것은 용서할 수 없는 S, 자신의 인생을 송두리째 파괴해버린 사탄, 타협이 있을 수 없는 공포의 창조자, 인간의 영혼을 파괴하는 고문의 예술가 신영철의 존재를 밝히기 위한 것이다.

나는 장미카엘라 수녀로부터 용서를 받았다. 그러나 내가 어떻게 내 영혼을 파괴하고 내 인생을 송두리째 무너뜨린 S를 용서할 수 있을 것인가. 나는 장미카엘라 수녀를 찾아가 그녀에게 내 자신의 모든 죄를 고백하였다. 그러나 S는 자신이 저지른 죄조차 모르고 있지 아니한가. 그는 한때 어두운 밀실에서 수많은 죄 없는 사람들의 영혼을 짓밟았던 고문 기술자였다. 그럼에도 불구하고 그는 '그리스도 우리의 평화'란 띠를 두르고 거룩한 성당에서 그리스도의 몸인 성체를 분배하고 있는 것이다. S는 과연 알고 있을까. 자신이 고문했던 젊은 청년. 그 고문으로 인해 영혼이 파괴되고 인생이 송두리째 뒤바뀌어버린 사람 하나가 그가 분배한 성체를 받아먹고 구토를 하고 씻을 수 없는 고통으로 신음하고 있는 사실을. 아니다. 나는 그를 절대로 용서할 수 없다. 그는 용서받을 수 없는 악마의 자식이다. 그는 자기가 저지른 죄가 무엇인지도 모르고 있다. 그는 도대체 성당에서 무엇을 고백하고 무엇을 뉘우치고 있는 것일까. 수백만의 유대인을 죽이고서도 자신이 기르는 앵무새의 죽음을 눈물을 흘리며 슬퍼하던 히틀러처럼 그는 자신이 저지른 그 엄청난 고문의 폭력에 대해서는 죄의식조차 갖고 있지 못한 영혼의 불구자이며 살인마인 것이다. 어떻게 그를 용서할 수 있을 것인가. 다가오는 부활절. 그리스도의 영광된 부활을 앞둔 사순절에 어떻게 S, 그 사탄을 내가 용서할 수 있을 것인가.

10여 년 전 그가 장미카엘라 수녀를 찾아간 것이 용서를 받기 위해서였다면 이번에 그가 장미카엘라 수녀를 찾아가고 있는 것은 용서할 수 없음을 고백하기 위해서인 것이다.

나는 절대로 용서할 수 없다.

주택가 골목 끝에서 비껴선 수녀원으로 들어가는 공터에 차를 세우며 그는 이를 악물었다. 낯익은 푸른색 철제 대문이 앞을 가로막고 있었고 예전처럼 사람이 드나들 수 있는 쪽문 하나가 반쯤 문이 열려 있었다.

나는 S를 절대로 용서할 수 없다. 주님의 이름으로도 용서할 수 없다. 만약 그리스도가 "원수를 사랑하라"는 계명으로 S를 용서하라고 명령한다면 서슴없이 나는 주님을 떠날 것이다. 내가 S를 용서할 수 있을 때는 오직 하나 내가 받은 고통만큼 S도 나와 똑같이 고통을 받았을 때만 가능할 것이다. "이에는 이 눈에는 눈"이라는 유대인의 율법 그대로 S는 내가 받은 고통만큼 받아야 하고 내가 받은 고문만큼 받아야 하며 그는 마침내 내 발 앞에 무릎을 꿇고 이렇게 울며 매어달려야 할 것이다.

"살 살려주십시오. 제 제가 잘못하였습니다. 저 저를 용서하여주십시오."

4

그는 결심을 하고 차에서 내렸다. 우산을 준비해 오지 않았으므로 비를 맞으며 쪽문을 열고 수녀원 안으로 들어섰다.

수녀원은 10여 년 전의 모습 그대로였다. 정면으로 아기 예수를 안은 성모상이 보였고 그 아래 작은 꽃밭이 있었다. 물감을 개어놓은 화판처럼 형형색색의 꽃들이 피어나 있던 꽃밭은 아직 이른 봄이었으므로 아무런 꽃들이 피어 있지 않았다. 정적에 잠긴 수녀원의 뜨락은 봄비가 자욱이 내리고 있을 뿐이었다. 너무나 조용해서 꽃잎 사이로 스며드는 물방울 소리라든가 겨우내 얼어붙었던 땅 속으로 스며드는 빗방울 소리 같은 것이 선명하게 들려오는 것 같았다.

누군가 안내하는 사람이 없을까. 그는 주위를 살펴보았지만 사람의 그림자는 보이지 않았다. 왼쪽의 성당 건물에서 누군가 문을 열고 나오더니 신발장에서 신발을 꺼내 신고 뜨락으로 나서고 있었다. 나이가 많은 노인이었다. 노인은 우산을 쓰고 그의 옆을 천천히 지나 수녀원 밖으로 사라졌다. 아마도 인근 주택에 사는 노인이 한낮에 성당에 들러 성체 조배를 하고 나오는 모양이었다. 그는 성당으로 들어가지 않고 곧바로 장미카엘라 수녀를 만나러 가야 한다고 마음을 굳혔다. 그래서 그는 빠르게 맞은편 건물 쪽으로 다가갔다.

어두운 건물 안에 검은 수녀복을 입은 한 여인이 앉아 있었다. 할머니 수녀였다.

"어서 오세요."

할머니 수녀는 마치 기다리고 있었다는 듯 빠르게 문을 열고 들어서는 그를 맞이하며 밝게 말하였다. 할머니 수녀는 털실 뭉치를 들고 있었다. 바늘을 찔러서 털실로 무엇인가 짜고 있는 모양이었다. 그는 그 할머니 수녀가 10여 년 전에 자신이 만났었던 그 할머니 수녀인가 잠시 생각해보았다. 그때 할머니 수녀는 수틀을 들고 수를 놓고 있었다. 사람들이 가진 특징들을 지우는 수도복의 특성상 할머니 수녀는 그때 만난 사람 같기도 하고 다른 사람 같기도 하였다.

"무슨 일이신가요?"

"수녀님을 면회 왔습니다."

"수녀님을요?"

할머니 수녀는 미소를 띠며 그러나 안경 속의 눈을 반짝이며 그를 날카롭게 쳐다보았다.

"누군데요?"

"장미카엘라 수녀님입니다."

"미리 연락을 하고 오셨나요?"

"아 아닙니다."

할머니 수녀는 얘기를 하면서도 계속 손가락을 움직여 무엇인가 짜고 있었다. 그녀의 손가락에 들린 굵은 대바늘이 정확하게 털실의 매듭 사이를 꿰뚫고 있었다.

"어떻게 되는 사이인가요?"

"……제가 오빠 됩니다. 제 이름은 최성규라고 합니다. 최성규 베드로라고 합니다."

"잠깐 기다려보세요. 장미카엘라 수녀님께 말씀을 전해보겠습니다. 미리 말씀드리지만 수녀께서 침묵 중이거나 기도 중이시면 면회를 하실 수 없게 됩니다. 또한 수녀님께서 원치 않는다고 하면 자동적으로 면회는 금지됩니다. 아시겠어요."

10여 년 전 들었던 내용 그대로였다. 그는 대답하였다.

"알겠습니다."

할머니 수녀는 건물 안으로 사라졌다. 그는 주머니에서 손수건을 꺼내 젖은 머리카락과 어깨 위에 떨어진 빗방울을 닦았다. 차에서 내려 뜨락을 가로질러 오기까지의 짧은 거리였지만 빗방울은 그의 온몸을 적시고 있었다.

그때였다. 어두운 건물 안에서 할머니 수녀가 나타났다.

"따라오세요."

그는 낯익은 좁고 어두운 골목을 따라갔다. 모든 일들이 똑같이 반복되어서 마치 중간쯤에 들어간 영화의 내용을 처음부터 다시 보았다가 어쩔 수 없이 영화가 끝날 때까지 기다리느라고 한 번 본 영화의 내용을 되풀이해서 보는 것처럼 익숙하였다. 그는 복도 끝에 있는 익숙한 방 안으로 들어갔다. 익숙한 작은 방이었다. 방 안 벽에는 익숙한 십자가상이 내어걸려 있었고 방 한 구석에는 익숙한 성모상이 놓여 있었다.

"의자에 앉아서 기다리세요. 잠깐이면 장미카엘라 수녀님이 나오실 겁니다."

할머니 수녀는 딱딱한 의자를 그에게 권하고는 조용히 사라졌다. 그는 그 의자 위에 앉았다. 그러나 마음은 진정되지 않았다. 오히려 그녀에게 죄를 고백하고 용서를 받기 위해 찾아오던 10여 년 전보다도 그의 마음은 더욱 흥분하고 있었다. 그의 마음은 분노에 가득 차 있었고 참을 수 없는 고통에 휩싸여 있었다. 허락된다면 그는 미친 듯이 고함을 지르고 싶을 정도였다. 우연히 사순절의 첫날밤 미사에서 S를 만난 이후부터 그는 걷잡을 수 없는 흥분과 공포와 그리고 분노를 느끼고 있었다. 그 분노로부터 벗어나기 위해 그는 갖은 일을 다하였다. 술을 마셔보기도 하고 술집의 젊은 아가씨들과 더불어 춤을 추고 목이 터지도록 노래도 해보았었다. 그러나 그러면 그럴수록 분노는 더욱 깊어만 가고 있었다. 그는 기도도 해보았다. 성모상 앞에서 촛불을 켠 채 묵주 기도도 해보았었다. 그러나 그는 정신을 집중할 수가 없었다. 입으로는 앵무새처럼 기도문을 외우고 있었을 뿐 마음은 분노의 용암으로 부글부글 끓어오르고 있었다. 마지막으로 그는 신부에게 고해 성사를 함으로써 마음속에 들어 있는 분노와 증오의 감정을 씻어버려야 한다고 생각하였었다. 그래서 그는 미사 시간보다 30분 정도 일찍 성당으로 가서 고해 성사를 하는 사람들 사이에 끼어 서 있기도 하였었다. 마침 부활절 판공 성사를 하기에는 이른 시기였지만 이때 보는 성사는 판공 성사에 해당하는 고해 성사였으므로 준비성 있는 신자들로 고해소 앞은 장사진을 이루고 있었다. 그 사람 중에 끼어서 자기 차례를 기다리면서도 그는 마음의 안정을 찾을 수가 없었다.

내가 도대체 신부에게 무엇을 고백할 수 있단 말인가. 아니다. 신부가 아니다. 고백소 안의 신부는 하느님의 대리인이다. 그러므로 나는 지금 하느님을 만나고 있는 것이다. 그러나 그 하느님에게 나는 도대체 무엇을 고백할 수 있을 것인가. 내 영혼을 파괴하고 내 인생을 송두리째 무너뜨린 악마. 그 악마를 성당에서 만났음을 고백하고 절대로 그를 용서할 수 없는 내 분노의 마음을 고백할 것인가. 그를 증오하고 그를 저주하는 내 마음을 고백할 것인가. 나는 그를 용서할 수 없다. 나는 그를 저주한다. 그에게 지옥의 불이 쏟아져내리기를 나는 소망한다. 그가 불붙은 지옥에 빠질 수만 있다면 나는 내 영혼을 악마에게도 팔 수가 있을 것이다. 그러한 증오의 마음을 용서해달라고 하느님께 고백할 것인가.

그는 도저히 고백소의 문 안으로 들어갈 수가 없었다. 그는 자기 차례까지 기다렸으나 뒷사람에게 순서를 양보하고 도망치듯 되돌아 나올 수밖에 없었다. 그러나 그가 가진 분노보다 더 큰 고통은 절망감이었다. 그는 자신의 고통을 그 누구에게도 호소

할 수 없었다. 자신이 가진 영혼의 상처가 얼마만큼 혹독하고 얼마만큼 잔인한가를 털어놓고 위로받을 사람이 없다는 것은 절망 그 자체였었다. 아내 역시 그의 고통을 호소할 사람은 못 되었다. 아내는 그의 고통을 이해할 수는 있을 것이다. 이 세상의 모든 사람들이 그의 고통을 이해하듯이. 그가 장미정 아니 장미카엘라 수녀를 떠올렸던 것은 장미카엘라 수녀만이 그의 고통과 분노를 똑같은 감정과 똑같은 질량으로 느낄 수 있으리라는 기대감 때문이었다.

장미카엘라 수녀는 그와 똑같은 고문을 당하였다. 그와 똑같이 젖은 수건을 얼굴 전체에 뒤집어쓰고 그 위로 물을 쏟아붓는 물고문을 당하였다. 그와 똑같이 구타를 당하고 그와 똑같이 폭력의 희생자가 되었었다. 그 몸서리치는 고문과 폭력을 휘두른 사람이 바로 S. 그 저주받은 악마. S의 존재를 알고 있는 유일한 증인. 그렇다. 장미카엘라 수녀는 그를 증명해줄 수 있는 단 하나의 증인인 것이다.

그때였다.

칸막이 저편에서 조용한 인기척이 있었다. 누군가 방 안으로 들어온 것이 분명하였다. 그는 두 개의 방을 연결하는 유일한 통로인 창구를 가로막은 나무 문이 벗겨지기를 기다렸다. 그러나 나무 문은 쉽게 열리지 않았다. 성급한 마음으로 그는 그 나무 문을 자신의 손으로 벗겨버리고 싶은 충동을 느꼈다. 그 순간 그의 충동을 억제하려는 듯 조용히 나무 문이 양 옆으로 벗겨졌다.

방 안쪽으로부터 검은 수녀복을 입은 한 얼굴이 조용히 떠오르고 있었다.

"웬일이세요. 베드로오빠."

10년 만에 듣는 미정의 목소리였다. 그러나 얼굴만 제외하고 모든 부분을 검은 수녀복으로 감싼 그녀의 얼굴은 전혀 변함이 없었다. 손만 뻗치면 닿을 수 있는 짧은 거리지만 저 칸막이의 벽 저편에서는 시간도 멈추고 세월도 정지되어버린 것일까. 미정의 얼굴은 10여 년 전 그대로였었다. 그보다도 꿈과 같은 대학 시절, 명륜동의 그 밤거리에서 보았던 춘향의 얼굴 그대로였다.

"오빠가 면회 오셨다고 해서 정말 깜짝 놀랐어요. 베드로오빠 어떠세요 결혼 생활은요. 아이는 몇 낳으셨어요?"

"아직 아이는 없습니다."

그는 대답하였다.

그는 이마에서 흐르는 땀을 손수건으로 닦았다. 그는 서두르고 있었다. 이런 일상적인 얘기를 하기 위해서 장미카엘라 수녀를 찾아온 것은 아니다.

"오늘 내가 장미카엘라 수녀님을 10여 년 만에 찾아온 것은 꼭 할 말이 있어서입니다."

그는 헐떡이며 말을 꺼냈다. 그는 가슴이 찢어지는 듯한 고통을 느꼈다. 누군가 그를 감시하고 있는 것과 같은 공포를 느꼈다. S가 폐쇄 회로를 통해서 그의 행동을 낱낱이 지켜보고 있는 것 같은 느낌을 받았다. 그래서 그는 울부짖었다.

"수녀님, 나는 살아 있는 악 악마를 보았습니다."

그는 몸서리를 쳤다. 온몸이 덜덜덜 떨리고 있었다. 폭발할 것 같은 분노와 공포와 고통으로 그는 간신히 말을 토해냈다.

"수녀님, 나는 악 악마를 보았습니다."

느닷없는 그의 말을 들은 장미카엘라 수녀는 순간 당황한 듯 하였다. 그녀는 괴로워하는 그를 달래기 위해서 좀더 창구를 향해 바짝 다가앉으며 말하였다.

"무슨 소리를 하시는 거예요, 오빠."

그녀의 얼굴에 부드러운 미소가 떠오르고 있었다. 그는 손수건을 들어 얼굴에서 흘러내리는 땀을 닦아내렸다. 순간 그는 구토감을 느꼈다. 마치 사순절의 첫 미사에서 S가 나누어주는 성체를 받아먹은 후 정체 모를 구토감에 시달렸던 것처럼 견딜 수 없는 욕지기였다.

"어디 아프세요, 베드로 오빠."

"아니."

그는 세차게 머리를 흔들었다.

"다만 토할 것 같습니다."

"그럼 토하세요. 복도 끝에 화장실이 있으니까요. 걱정하지 마시고 다녀오세요. 여기서 기다리고 있을 테니까요, 베드로오빠."

그는 비틀거리며 일어섰다. 그녀의 말대로 맞은편 쪽에 작은 화장실이 있었다. 그는 화장실 안으로 들어섰다. 그리고 변기에 뚜껑을 열고 머리를 꺾었다. 그는 계속 구역질을 느끼고 있었지만 아무것도 토할 수 없었다. 이게 무슨 일인가, 하고 그는 생각하였다. 장미카엘라 수녀를 만나러 와서 나는 지금 도대체 무엇을 하고 있는가, 하고 스스로를 꾸짖었다. 몇 번의 토악질 끝에 그는 가슴이 진정되는 것을 느꼈다. 그는 손을 씻고 거울에 비친 자신의 모습을 물끄러미 들여다보았다. 거울 속에는 공포와 절망에 지친 창백한 유령의 모습이 떠오르고 있었다. 그는 다시 화장실을 나와 방 안으로 들어섰다. 칸막이 저편에는 장미카엘라 수녀가 움직이지 않고 그대로 앉아 있었다.

"이제 좀 괜찮으세요, 오빠."

"미 미안합니다."

그는 더듬거리며 말하였다. 그는 장미카엘라 수녀가 자신의 누이인 것 같은 느낌을 받았다. 같은 혈육을 나눈 친누이동생 같은 느낌이 들어 그는 따뜻한 위로감을 느꼈다. 그는 말을 계속해 나갔다.

"기억하십니까, 벌써 14, 5년 전의 일이었으니까요. 장미카엘라 수녀님과 내가 아직 대학생이었을 때 말입니다. 어느 날 한밤중에 나는 느닷없이 체포되었습니다. 눈에 안대를 한 채 나는 정체 모를 사람들에 의해 알 수 없는 장소로 끌려갔습니다. 지하의 밀실이었습니다. 그 밀실 속에서 나는 무자비한 폭력과 구타를 당했습니다. 그리고 매일같이 물고문을 받았습니다. 그들은 나를 묶고 한 사람은 책상 위에 올라가 내 머리가 요동치지 못하도록 머리카락을 부여잡았습니다. 그리고 내 얼굴을 뒤로 꺾고 입을 벌린 후 입 속에 주전자의 물을 떨어뜨리기 시작하였습니다. 물은 벌어진 입을 통해서 목구멍으로, 내 몸 속으로 콸콸 흘러내렸습니다. 숨을 쉬려야 쉴 수가 없었습니다. 물은 내 몸 속으로 스며들고 마침내는 혈관 속으로까지 흘러들어가 나는 아가미가 돋아난 물고기가 될 수밖에 없었습니다. 그러나 나는 얼마 후에 나한테 가해지는 그 모든 폭력, 그 모든 고문이 오직 한 사람에 의해서 명령되고 조종되는 것이라는 것을 알 수 있었습니다. 나를 때리고 고문하는 사람들은 허수아비와 같은 하수인일 뿐 명령을 내리는 사람은 따로 있음을 나는 알게 되었습니다. 그 사람은 자신의 손으로 나를 직접 때린 적은 한 번도 없었습니다. 자신의 손으로 나를 고문한 적도 한 번도 없었습니다. 그는 항상 부드럽게 말하였으며, 그의 온몸에서는 면도 후에 바르는 미안수 냄새가 항상 향긋하게 풍겨오고 있었습니다. 그는 내가 원하면 뜨거운 커피를 타주기도 하고 담배를 피우라고 권해주기도 하였습니다. 쇼팽의 피아노 모음곡을 좋아해서 나를 취조하다 말고 쇼팽의 마주르카를 눈을 감고 감상하기도 하였습니다. 그는 내게 자신의 이름을 가르쳐주었습니다. 내 이름은 에스S야, 하고 그는 말하였습니다. 악마가 영어로 뭐지, 하고 내게 묻기도 하였습니다. 내가 데블이라고 대답하자, 그는 이렇게 말하였습니다. 데블은 조무래기 악마다. 악마의 왕은 마왕이라고 부르는데 마왕은 영어로 사탄이다. 내 이름의 'S'는 바로 마왕을 가리키는 사탄의 약자지. 나는 스스로 자신을 사탄의 약자에서 따온 에스, 라고 말한 그 사람을 절대로 잊을 수가 없었습니다. 왜냐하면 내게 가해지는 모든 폭력과 고문은 실제로 그 에스의 원격조종에 의해서 이루어지는 것이었으니까요. 내가 장미카엘라 수녀님을 밀고하였던 것도 전적으로 에스의 협박과 회유 때문이었으니까요. 에스는 스스로를 고문의 예술가, 고문의 창조자라고 말하였습니다. 그는 내게 말하였습니다. 인간이란 원래 배반의 동물이야. 배반이야말로 인간이 가진 최고의 미덕이지. 그로부터 며칠 후 나는 에스에 의해서 한 밀실로 끌려갔습니다. 밀실에는 폐쇄 회로가 설치되어 있었는데 바로 옆방에서 벌어지고 있는 고문의 현장이 생생하게 중계되고 있었습니다. 폐쇄 회로의 화면 위로는 한 여인이 물고문을 당하고 있었습니다."

그는 일단 말을 멈췄다. 과거를 더듬어가는 기억의 회로가 순간 작동이 멈추어진 듯 끊겨버렸기 때문이었다. 그는 과거를 더듬으며 천천히 다시 말을 이어내려갔다.

"그 여인은 실신하여 죽어가고 있었습니다. 온몸은 벗겨져서 마치 밀도살되는 정육점의 고깃덩어리처럼 보일 뿐이었습니다. 나는 그때 실신하여 쓰러진 여인의 얼굴을 보는 순간 소스라치게 놀랄 수밖에 없었습니다. 왜냐하면 쓰러진 여인의 얼굴이 바로 내가 밀고한 장미정의 모습이었으니까요. 나는 그때야 알 수 있었습니다. 나를 고문하고 내게 폭력을 사주하였던 에스가 미정이를 고문하고 그녀에게까지 폭력을 사주하는 장본인이라는 사실을 말입니다. 그렇습니다. 장미카엘라 수녀님, 자신의 입으로 고백하였던 악마. 에스야말로 내 영혼을 짓밟고 내 청춘을 송두리째 부숴버린 악마일 뿐 아니라 장미카엘라 수녀님의 영혼과 인생을 뒤바꿔버린 악마라는 사실을 비로소 알 수 있었던 것입니다."

그는 일단 말을 끊었다. 그리고 장미카엘라 수녀의 얼굴을 똑바로 바라보았다. 그녀의 얼굴은 전혀 표정의 변화가 없었다.

"장미카엘라 수녀님."

그는 진지하게 그녀의 얼굴을 쳐다보며 질문을 던졌다.

"그를 기억하고 계십니까, 자신의 입으로 악마라고 말하였던 그 에스를 기억하고 계십니까?"

장미카엘라 수녀의 손에는 무엇인가 들려 있었다. 그것은 묵주였다. 그 묵주의 작은 알을 그녀의 손끝이 더듬고 있었다. 움직이고 있는 것은 오직 그 묵주를 더듬고 있는 그 미세한 손의 미동뿐이었다.

"그 악마가 아직도 살아 있습니다. 지금껏 나는 그러한 악마는 어둠의 자식들로 보이지 않는 사회의 한구석에서 죄의식에 떨면서 자신을 증오하면서 한때는 어쩔 수 없이 독재의 하수인이 되어서 어쩔 수 없이 그러한 조직의 일원으로 폭력을 휘두르며 인간의 영혼을 파괴하는 고문을 자행하였지만 이제는 그것을 뉘우치고 후회하면서 스스로의 정체를 숨기고 어둠 속에서 살아가고 있을 것이라고만 생각하고 있었습니다. 나는 그것이 바로 사회의 정의(正義)라고 생각했었습니다. 철권을 휘둘렀던 한 시대의 독재자들이 어느 날 술좌석에서 자신의 부하에게 총을 맞고 암살당하거나 또 다른 독재자들이 산속으로 쫓겨들어가 사찰에서 유배 아닌 유배 생활을 함으로써 한 시대가 흘러가고 어두운 역사가 종말을 고하듯, 그 광기의 조직 속에서 인간을 고문하는 하수인들은 마치 하수구 속의 쥐새끼들처럼 어둠 속에 숨어서 자신의 과거를 뉘우치며 스스로 자숙하면서 살아야 하는 것이 정의라고 나는 생각했었습니다. 그래야만 공평한 것이 아닙니까. 그런데 그런데."

그는 다시 헐떡이기 시작하였다.

"그것이 아니었습니다, 장미카엘라 수녀님."

그는 다시 머리를 흔들었다. 또다시 견딜 수 없는 고통이 그의 가슴을 찢고 있었다.

"그 악마가, 그 어둠의 자식이 바로 우리 곁에 살아 있었습니다. 지난달 사순절이 시작되는 첫날밤 나는 그 살아 있는 악마를 15년 만에 만날 수 있었습니다. 수녀님, 내가 그 악마를 만난 곳이 어딘지 알고 계십니까?"

그는 다시 견딜 수 없는 욕지기가 치받쳐오르는 것을 느꼈다. 그는 이를 악물고 솟구쳐오르는 욕지기를 참아내리면서 말을 이었다.

"바로 성당 안에서였습니다, 장미카엘라 수녀님. 새로 이사간 성당의 첫 미사에서 나는 그 악마가 성체를 분배하는 모습을 보았습니다. 성체를 분배하면서 그 악마는 내게 이렇게 말하였습니다. '그리스도의 몸' 하고 말입니다. 미사가 끝났을 때 나는 그 악마가 '그리스도 우리의 평화'라는 구호가 적힌 띠를 두르고 성당 앞 뜨락에서 신자들과 악수를 나누는 모습을 지켜보았습니다. 아아, 이것이 무엇입니까. 아아, 이것이 그리스도의 평화입니까. 나는 그 악마에 의해서 한번 가면 다시 오지 않을 청춘이 파괴되었습니다. 그러나 그 악마는 아무 데도 파괴된 것이 없이 행복하게 보였습니다. 나는 그 악마에 의해서 평생 씻기지 않는 영혼의 상처를 입었습니다. 그러나 그 악마는 여전히 건강한 얼굴이었고 행복한 인생을 살고 있었습니다. 나를 향해 폭력을 휘두르던 그 더러운 손에 어떻게 그리스도의 성체가 들려질 수 있겠습니까. 나를 향해 고문을 하던 그의 더러운 몸에 어떻게 '그리스도 우리의 평화'라는 구호의 띠가 둘러쳐질 수가 있겠습니까. 자신이 저지른 죄의 반성과 그 형벌에 대한 두려움으로 마땅히 어둠 속에 숨어 있어야 할 악마의 자식이 비록 15년의 세월이 흘러갔다고는 하지만 거룩한 성당에서 '이것을 받아먹어라. 이것은 너희를 위해서 주는 내 몸이다'라는 그리스도의 말씀으로 찾아오는 성체를 분배할 수 있겠습니까. 이것이 그리스도의 진리입니까. 주님을 배신한 가롯 유다는 목매어 자살하여 죽었습니다. 그런데 그 악마의 자식은 한 손에는 폭력의 채찍을 들고 또 한 손에는 그리스도의 성체를 들고 있었습니다. 이것이 도대체 어떻게 된 것입니까. 가롯 유다처럼 목매어 자살하여야 할 악마의 자식에게 그리스도의 은총이 저와 같이 충만한 것은 도대체 어떻게 된 모순입니까. 그리스도의 진리가 이처럼 거짓된 것입니까."

그의 말은 좁은 구멍을 향해 한꺼번에 많은 물이 쏟아져 나가려는 듯 터져 흐르고 있어 앞뒤 순서가 없었다. 그러나 그의 말은 오랫동안 참아왔던 분노의 표출이었다. 그는 혼자서 생각하고 혼자서 분노하고 혼자서 분석하고 혼자서 절망하곤 하였으므로 혼자서 묻고 혼자서 대답하는 동안 가슴속에 쌓아두었던 감정의 응어리들이 한꺼번에 터져 흐르고 있었던 것이다.

"제2차 세계 대전이 흐른 후 6백만이나 죽고 희생당하였던 유대인들은 자신들을 괴롭혔던 독일인들을 향해 이렇게 말하였습니다. 'Forgive but don't forget.' 이런 뜻이겠지요. '용서하자. 그러나 잊지는 말자.' 그러나 유대인들이 독일인들을 용서한 데에는 먼저 나치의 광기에 미쳐 광분하였던 독일인의 철저한 반성이 있었습니다. 그들은 자신의 과오를 뉘우치고 후회했습니다. 그들은 유대인을 박해하였던 수용소들을 철거하는 대신 기념관으로 보존함으로써 역사의 과오를 되풀이하지 않겠다는 뉘우침을 먼저 보여주었던 것입니다. 장미카엘라 수녀님. 주님은 말씀하셨습니다. 베드로가 주님에게 '주님, 형제가 저희에게 잘못을 저지르면 몇 번이나 용서해주어야 합니까. 일곱 번이면 되겠습니까' 하고 묻자 주님께서는 '일곱 번씩뿐 아니라 일곱 번씩 일흔 번이라도 용서하여라' 하고 말씀하셨습니다. 또한 주님께서는 직접 가르쳐주신 기도문에서 '우리가 우리에게 잘못한 일을 용서하듯이 우리의 잘못을 용서하시고'라고 말씀하심으로써 우리가 주님으로부터 용서를 받기 위해서는 먼저 나에게 잘못한 사람을 용서해야 한다고 가르쳤음을 나는 또 잘 알고 있습니다. 하지만 장미카엘라 수녀님, 주님께서 말씀하셨듯 내가 형제의 잘못을 일곱 번씩 일흔 번이라도 용서하려 한다면 내게 잘못한 그 형제가 먼저 자신의 죄를 뉘우쳐야 하지 않겠습니까. 또한 주님께서 가르쳐주셨듯 우리에게 잘못한 일을 용서하려면 우리에게 잘못한 그 사람이 먼저 우리에게 자신의 잘못을 고백하고 용서를 빌어야 하지 않겠습니까. 그래야만 유대인처럼 독일인들을 용서할 수 있지 않겠습니까. 마찬가지로 신군부에 의해서 광주에서 끔찍한 항쟁이 일어나고 수많은 무고한 시민들이 죽었을 때 많은 사람들은 이렇게 말하였습니다. '이제 그들을 용서합시다.' 하지만 장미카엘라 수녀님, 어떻게 광주에서 무고한 시민들을 죽게 한 그들을 용서할 수 있겠습니까. 그들을 용서하기 위해서는 무엇보다 먼저 시민들에게 발포 명령을 내린 독재자들의 참회가 있어야 하지 않겠습니까. 그 독재자들은 한갓 묘지만 만들었을 뿐 권력의 권좌에 앉아서 온갖 권세와 영광을 누렸습니다. 자신이 잘못했다고 말한 사람은 단 한 사람도 없었습니다. 그러니 어떻게 그들을 용서할 수 있겠습니까. 장미카엘라 수녀님, 마찬가지로 내가 어떻게 그 에스를 용서할 수 있겠습니까. 그는 내 청춘을 파괴하였으며 폭력을 통해 내 정신을 실험실의 개처럼 길들였습니다. 종을 치면 침을 흘리는 개처럼 나는 두려움에 휩싸이게 되었으며 군대에 끌려가 운동권 학생으로 낙인찍혀 필요 이상의 억압을 받았습니다. 나는 희망을 잃었고 미래에 대한 도전 의식을 잃었습니다. 내 인생은 뒤바뀌어버렸으며 영화 제목처럼 '개 같은 나의 인생'이 되어버렸습니다. 그런데도 나를 고문하였던 장본인 에스는 자신의 희생자가 어떻게 비참한 인생을 살고 있는가 하는 죄의식도 없이 당당하고 떳떳하게 그것도 거룩한 성당에서 그리스도의 몸인 성체를 분배하고 있었던 것입니다. 차라리 차라리."

그는 헐떡였다. 그는 답답해서 가슴의 단추를 풀고 소리쳐 외치고 싶었다.

"차라리 나는 그 에스가 무신론자였으면 덜 억울하였을 것입니다. 차라리 에스가 하느님의 존재를 믿지 않는 무신론자였더라면 나는 그를 용서할 수 있을 것이라고 생각하였습니다. 니체처럼 '신은 죽었다'고 믿는 허무주의자였더라도 나는 그를 이해할 수 있을 것입니다. 하지만 그 에스는 하느님의 존재를 믿는 유신론자였을 뿐 아니라 '그리스도 우리의 평화'라는 구호가 적힌 띠를 두르고 신자들과 악수를 하는 사목회장이었던 것입니다. 어떻게 이럴 수가 있습니까. 그가 믿는 하느님과 내가 믿는 하느님은 전혀 다른 신이란 말입니까. 또한 유대인들은 이렇게 말하였습니다. '용서하자. 그러나 잊지는 말자.' 그들은 잊지 않기 위해서 자신들을 죽이고 죽여서 그 기름으로 비누를 만들고 머리카락을 뽑아 신발을 만들던 전범들을 지구 끝까지 찾아갔습니다. 이름을 바꾸고 직업을 바꾸고 심지어 성형 수술을 하고 저 남미까지 내려가 숨어 살고 있는 그들을 끝까지 추적해서 체포하여 전범으로 재판에 회부하였던 것입니다. 왜냐하면 유대인들은 그들을 용서하지만 그 역사적 사실을 잊지 않기 위함이었습니다. 그러나 우리는 어떠합니까. 우리를 체포하고 우리를 폭행하고 우리를 강간하고 우리를 고문하던 그 역사의 죄인들을 우리는 간단히 잊어버립니다. 잊어버리는 것은 용서하는 것이 아닙니다. 잊어버림으로써 역사의 과오는 되풀이되는 것입니다. 만약에 우리가 그 절대 권력의 죄인들을 잊지 아니하고 끝까지 잘못을 묻고 단죄한다면 역사는 발전할 것입니다. 장미카엘라 수녀님."

그는 칸막이 저편에 앉아 있는 장미카엘라 수녀를 향해 말을 토해냈다. 그녀의 표정엔 아무런 변화가 없었다. 그러나 그녀는 마치 진공청소기로 티끌 같은 먼지라도 빨아들이는 듯한 침묵의 흡입력으로 진지하게 그의 모든 말을 경청하고 있었다. 장미카엘라 수녀는 침묵의 흡입력으로 마치 강력한 자석이 모든 쇠붙이를 끌어당기듯이 그의 가슴에 들어 있는 고통의 파편들을 빨아들이고 있었던 것이다.

"나는 에스를 용서할 수 없습니다. 하느님의 이름으로도 에스를 용서할 수 없습니다. 왜냐하면 에스가 자신의 죄를 뉘우치거나 참회하고 있지 않으므로 그를 용서할 수 없습니다. 또한 나는 에스를 잊을 수가 없습니다. 그가 내게 했던 모든 말, 모든 행동들을 나는 잊을 수가 없습니다. 나는 그를 법정에 세워야 합니다. 마치 유대인들이 끝까지 나치 전범들을 추적하여 재판에 회부했듯 나는 그를 재판에 세울 것입니다. 법정이 아니라면 성당의 뜨락 앞에서라도 나는 그의 죄상을 많은 사람들 앞에 털어놓고 에스의 얼굴에서 천사의 가면을 벗겨버리고 악마의 실제 모습을 보여줄 것입니다. 에스가 나와 장미카엘라 수녀님에게 행하였던 그만큼의 고통, 덜도 아니고 더도 아닌 꼭 그만큼의 고통의 무게를 똑같이 받아야 한다고 나는 생각합니다. 그것이 사회의 정의라고 생각합니다. 그것이 바로 '그리스도 우리의 평화'라고 나는 생각합니다."

그때였다.

어디선가 갑자기 종소리가 들려오기 시작하였다. 딸랑딸랑 딸랑딸랑, 그 종소리는 말을 토해내고 있는 그의 의식을 일깨웠다. 동시에 칸막이 저편에 앉아서 그의 고백을 침묵으로 듣고 있던 장미카엘라 수녀가 몸을 일으키며 말하였다.

"헤어질 시간이에요. 오빠."

그는 순간 어리둥절하였다. 아직 해야 할 말이 더 많이 남아 있었고 끝나지 않았기 때문이었다. 두어 번 울렸던 종소리가 잠시 끊겼다가 다시 이어졌다.

"오빠의 주소를 종이에 적어주시겠어요."

장미카엘라 수녀는 서두르며 말하였다. 그는 지갑을 꺼내서 자신의 명함을 뽑았다. 칸막이 밑으로 간단한 물건을 건네어주고 받을 수 있을 만큼 작은 공간이 있었다. 그 틈으로 명함을 집어넣자 장미카엘라 수녀는 빠르게 명함을 집어들고 그것을 긴 수녀복의 소매 속으로 밀어넣고는 웃으며 말하였다.

"안녕히 가세요. 오빠."

동시에 나무로 만든 칸막이가 마치 공연이 끝난 무대 위의 커튼이 좌우에서 합쳐서 닫히듯 두 사람을 가로막았다. 그는 한동안 방 안에 우두커니 앉아 있었다. 그는 갑자기 버려진 것 같았다. 누구에겐가 따뜻한 보살핌으로 위로를 받다가 갑자기 고아처럼 버림을 받은 느낌을 받았다.

그는 순간 고독감을 느꼈다. 그는 외로웠고 쓸쓸하였다. 빈방에서 그가 할 일이 더 이상 남아 있지 않았으므로 그는 방문을 열고 복도를 걸어 밖으로 나왔다. 건물 입구에 앉아 있던 할머니 수녀의 모습도 보이지 않았다. 정원에는 여전히 봄비가 내리고 있었다.

내가 무엇 때문에?

비를 맞으며 수녀원의 뜨락을 천천히 걸어가면서 그는 자신에게 물어보았다.

내가 무엇 때문에 장미카엘라 수녀를 찾아왔던 것일까. 그녀에게 자문을 구하기 위함이었을까. 아니다.

그는 머리를 흔들었다.

등 뒤에서부터 갑자기 노랫소리가 들려오기 시작하였다. 건물 깊은 곳에서부터 들려오는 수녀들이 부르는 합창 소리였다.

"주 예수 그리스도와 바꿀 수는 없네. 이 세상 영화와 행복도 우리를 위하여 돌아가신 예수의 크옵신 사랑이여……"

그는 노랫소리가 들려오는 수녀원을 빠져나오면서 생각하였다.

내가 장미카엘라 수녀를 찾아왔던 것은 오직 위로를 받기 위함이었을 것이다. 내 지친 영혼과 고통의 육체에 위로를 받기 위해서 찾아온 것이다. 내가 찾아온 것은 장미카엘라 수녀가 아니라 장미정인 것이다. 장미정을 찾아옴으로써 기억의 회랑을 달려가 그 막다른 방, 막다른 문 뒤에 늘푸른 나무 한 그루로 자라고 있는 젊은 날의 초상화를 되돌아보기 위함이었을 것이다.

5

장미카엘라 수녀를 만나기 위해서 가르멜 수녀원을 다녀온 지 일주일쯤 되는 날 그는 소포 하나를 받았다.

퇴근길에 학교 동료 선생들과 간단하게 반주를 곁들인 저녁식사를 하고 9시가 지났을 무렵 집으로 돌아오는 중이었다. 그가 사는 아파트 입구에 이르렀을 때 수위는 그를 "최선생님" 하고 불러 세웠다. 그가 돌아보자 관리인은 "소포가 하나 와 있는데요" 하고 말하였다. 그는 그 소포를 받아들었다. 편지 같은 간단한 우편물과 관리비 같은 공과금 청구서들은 아파트 입구의 벽에 공동으로 마련되어 있는 우편함에 꽂혀 있는 것이 보통이었으나 소포와 같은 특별 우편물들은 우체부에게서 수위가 수령해서 직접 당사자에게 전해주는 것이 관례였던 것이다.

그는 소포를 받아들고 아파트 안으로 들어섰다.

소포 뭉치는 겉에서 보아도 안의 내용물을 쉽사리 짐작할 수 있었다. 단단히 밀봉된 포장지를 더듬어보자 안에 들어 있는 딱딱한 물건이 그대로 만져지는 것으로 보아 들어 있는 내용물은 틀림없이 책이었다.

누가 내게 책을 보낸 것일까.

그는 천천히 아파트 계단을 오르며 소포의 겉봉투를 살펴보았다. 그가 사는 층수는 5층이었으므로 엘리베이터를 타기에는 거리가 짧고 그렇다고 층계를 통해 걷기에는 좀 먼 애매한 거리였다. 그날그날 사정에 따라 그는 승강기를 타기도 하고 걷기도 했다. 가령 엘리베이터 앞에 섰을 때 이제 막 승강기가 2층을 벗어나기 시작해서 하강 버튼을 누른다고 해도 한참을 기다려야 할 경우라든가 집에 들어가기 전에 뭔가 마음속으로 정리해야 할 감정의 찌꺼기가 남아 있다면 그는 천천히 5층까지의 아파트 계단을 일부러 걸어서 오르곤 했다.

소포의 겉봉투에는 분명히 자신의 집 주소와 이름이 적혀 있었다. 그러나 이상하게도 보낸 사람의 이름은 어디에도 적혀 있지 않았다. 그래서 그는 계단을 오르다 말고 주머니에서 비상용 나이프를 꺼내 소포의 겉봉을 뜯어냈다. 겉봉을 뜯어내자 안에서 과연 짐작했던 대로 한 권의 책이 나왔다. 작고 얇은 책자 한 권이었다. 조잡하고 투박한 디자인의 책 모습은 그 책이 최근에 발간된 책이 아니라 오래전에 간행된 고서(古書)임을 한눈에 드러내 보이고 있었다.

그는 그 책의 표지를 살펴보았다. 책 표지에는 제목이 다음과 같이 인쇄되어 있었다.

'귀양의 애가'

그는 그 제목이 무엇을 뜻하는가를 잠시 생각해보았다. 쉬운 듯하면서 어렵고 그 의미를 종잡을 수 없는 다소 난삽한 제목이었다. 귀양이라면 지난날 죄인을 고향이 아닌 변방으로 보내어 일정 기간 제한된 지역에서만 살게 하였던 형벌을 뜻하지 않는가. 그렇다면 애가는 무슨 뜻인가. 문자 그대로 애가(哀歌)는 슬픈 마음을 나타낸 노래, 사랑하는 사람의 죽음을 슬퍼하는 노래로 엘레지, 즉 비가(悲歌)를 뜻하는 말이 아닐 것인가.

그는 그 제목 밑에 따로 곁들인 소제목을 읽어보았다.

'가르멜 수녀들의 북한 피랍기'

순간 그는 뭔가 떠오르는 것이 있었다. 책의 겉표지 밑부분에도 이 책을 펴낸 곳의 이름이 다음과 같이 적혀 있었다.

'서울여자가르멜수도원'

그러자 그는 이 소포를 누가 보낸 것인지 분명히 알아낼 수 있었다. 그렇다, 이 소포를 보내온 사람은 다름아닌 장미카엘라 수녀인 것이다.

일주일 전 수유리로 장미카엘라 수녀를 만나러 갔을 때 갑자기 들려오는 종소리와 함께 두 사람의 만남은 그것으로 끝나게 되었으며, 헤어질 무렵 서두르며 장미카엘라 수녀는 그에게 "주소 좀 적어주시겠어요" 하고 말하였고 그때 그는 명함을 한 장 건네준 기억을 떠올렸다. 장미카엘라 수녀는 명함을 통해 그의 주소를 기억하고 있다가 이 책을 소포로 부쳐온 것이었다.

그는 책의 표지를 들쳐보았다. 첫 페이지 여백 부분에 생각했던 것처럼 장미카엘라 수녀의 글씨가 다음과 같이 적혀 있었다.

"✝찬미 예수님

최성규 베드로오빠

이 책을 통해 오빠가 '용서의 의미'를 배우셨으면 합니다.

장미카엘라 수녀로부터."

간단한 내용의 전언(傳言)이었다. 그러나 그 옛날 경환이에게 전해주었던 연애 편지를 통해 이미 낯익은 필체로 써내려간 장미카엘라 수녀의 메시지에는 깊은 뜻이 함축되어 있었다.

그는 계단을 오르다 말고 층계참에서 잠시 멈춰 섰다. 그는 담배를 꺼내 피워 물었다.

이 책은 그가 장미카엘라 수녀에게 한 질문에 대한 그녀의 대답인 것이다. 그때 그는 마지막으로 장미카엘라 수녀에게 이렇게 말하지 않았던가.

"나는 에스를 용서할 수 없습니다. 하느님의 이름으로도 에스를 용서할 수 없습니다. 에스가 나와 장미카엘라 수녀님에게 행하였던 그만큼의 고통, 더도 덜도 아닌 꼭 그만큼의 고통을 받아야만 한다고 나는 생각합니다. 그것이 바로 '그리스도의 평화'라고 나는 생각합니다."

그러나 그의 고백은 미완성으로 끝이 났었다. 딸랑딸랑 들려오는 종소리와 함께 두 사람의 만남이 미완성으로 끝나게 되었으므로 그런 의미에서 그녀가 보내는 이 책은 그가 던진 질문에 대한 장미카엘라 수녀의 답변인 것이다.

'이 책을 통해 오빠가 용서의 의미를 배우셨으면 합니다.'

장미카엘라 수녀가 내게 그렇게 써보냈다면 이 책 속에는 도대체 무슨 내용이 들어 있는 것일까. 그는 담배를 피우며 책을 대충 펼쳐보았다. 그때였다. 무엇인가 책갈피 속에서 층계 바닥으로 굴러떨어지는 것이 있었다. 그는 허리를 굽혀 그것을 주워 올렸다.

그것은 한 장의 흑백 사진이었다.

그는 어째서 그 사진 한 장이 책 속에 끼어 있었는가를 잠시 생각해보았다. 제본된 책의 일부가 떨어져나가지 않은 것으로 보아 그 사진은 장미카엘라 수녀가 일부러 책갈피 속에 끼워놓은 것이 분명하였다. 마치 땅 위에 떨어져 구르는 낙엽 같은 것을 기념하여 책갈피 속에 끼워넣어 보관하듯이.

그는 사진을 자세히 살펴보았다.

낡고 퇴색한 흑백 사진이었다. 사진은 세로로 긴 형태의 사이즈였는데 그것은 수녀복을 입은 한 수녀의 전신상을 담기 위해서였다. 검은 수녀복을 입은 여인이 조심스럽게 두 손으로 성경

책을 받쳐들고 정면을 응시하고 있었다. 아마도 실내에서 찍은 사진이었는지 검은 수녀복처럼 배경도 함께 어두워서 사진 전체가 어둠침침한 분위기를 형성하고 있었다. 그러나 그래서인지 검은 수녀복 사이로 빠져나온 성경책을 들고 있는 흰 손, 흰 베일로 감싸고 있는 얼굴은 오히려 다른 부분에 비해 상대적으로 빛나게 떠오르고 있었다.

가르멜 소속임이 분명한 사진 속의 수녀는 두터운 안경을 쓰고 있었고 약간 미소를 띠고 있었는데 오뚝한 콧날과 안경 속으로 엿보이는 큰 눈 같은 것이 한눈에도 그 수녀가 우리나라 사람이 아닌 외국인임을 분명하게 드러내고 있었다. 그녀는 카메라를 향해 정면으로 응시하고 있었지만 안경 속의 두 눈동자는 초점이 분명치 않았다. 그래서 그녀가 실제로 무엇을 보고 있는가를 정확히 알아볼 수 없었다. 그러나 오히려 그녀의 미소가 신비롭게 보일 수 있었던 것은 현상적인 것을 응시하고 있지 않은 그녀의 시선 때문이었던 것이다.

그렇다면.

그는 사진을 보면서 생각하였다.

혹시 이 수녀는 장님이 아닐까. 앞을 보지 못하는 장님이므로 이런 신비로운 시선으로 카메라를 응시하고 있을 수 있지 않을까.

막연했던 그의 생각은 놀랍게도 적중했다. 사진 속의 그 검은 수녀복을 입은 수녀는 앞을 못 보는 장님이었다. 또한 외국인으로 프랑스 태생의 수녀였던 것이다. 그녀의 이름은 마리 마들렌 수녀. 그녀는 가르멜 수녀원의 초대 수련장 수녀였으며 장미카엘라 수녀가 보내준 책 속의 주인공이었던 것이다. 그렇다. 마리 마들렌 수녀와의 만남도 역시 이렇게 우연히 시작된 것이었다.

제4장 죽음의 행진

마리 마들렌 수녀

프랑스 가르멜회 소속 수녀로, 한국 가르멜 수녀원의 초대 수련원장을 지냈다.
6·25 당시 북한군에 이끌려 3년 간 포로생활을 했으며, 시각 장애로 점차 시력을 잃은 그녀는 포로생활을 기록하여 『귀양의 애가』를 남겼다.

1

장미카엘라 수녀가 보내준 『귀양의 애가』란 소책자는 제목에 나와 있는 그대로 가르멜 수녀원 소속의 다섯 수녀들이 겪은 북한 피랍기이다.

가르멜 수녀원에서는 6·25 직후 다섯 명의 수녀들이 피난을 가지 못하고 인민군들에 의해서 북한으로 끌려갔었다. 그로부터 3년 간 이 다섯 수녀들은 혹독한 포로 생활을 했는데 이때의 기록을 적은 것이 작은 책으로 나온 것이었다.

이때 끌려간 다섯 명의 수녀들 이름은 다음과 같다. 서울 가르멜의 초대원장이었던 마리 멕틸드, 2대 원장이었던 데레사, 3대 원장이었던 마리 앙리에트, 초대 수련원장이었던 마리 마들렌, 프랑스 가르멜 소속의 마리 벨리데타. 이렇게 다섯 사람이었다.

이 다섯 명의 수녀 중 3년 간의 포로 생활을 하는 동안 두 사람이 숨을 거두었다. 가르멜의 초대 원장이었던 마리 멕틸드와 데레사 수녀 두 사람이 숨을 거둔 것이었다.

그녀들은 서울에서 체포되어 평양까지 열차로 압송되었으며 평양에서는 저 변경 지방의 중강진에 이르는 혹한의 동토 수백 킬로미터를 때로는 트럭으로 때로는 맨발로 걸어갔었다. 특히 우리나라에서 가장 추운 고장인 초산, 고산진, 만포진, 중강진, 하창리에 이르는 경로를 강제로 도보로 끌려갔었는데 이 행진을 이름하여 '죽음의 행진'이라고 부른다.

이 행진 중에 두 명의 가르멜 소속 수녀들이 숨을 거뒀을 뿐 아니라 수십 명의 성직자들이 목숨을 잃었다. 이 지옥과 같은 고통의 행진에 대해 '죽음의 행진'이란 이름을 처음으로 사용한 사람은 따로 있다.

그는 외방 전교회 소속의 프랑스 신부였던 셀레스탱 코요스로 한국명으로는 구인덕 신부라고 불린다. 그는 가톨릭 신학대학의 교수로 있다가 인민군에게 잡혔으며 북한으로 끌려가 33개월의 혹독한 포로 생활을 했었다. 그때의 생활을 생생하게 기록하고 있는 『나의 북한 포로기』란 수기는 후일 프랑스 한림원으로부터 아카데미 프랑세즈 상을 받을 만큼 명저로 손꼽히고 있는데, 이 책 속에서 구인덕 신부는 열두 명의 동료 신부들이 죽어가는 모습을 '죽음의 행진'이라고 명명하면서 그들의 처참한 모습을 담담하게 묘사하고 있다. 그는 열세 명의 순교자 중에서 살아남은 단 한 사람의 생존자였으며 이 기록에 대해서 아카데미 프랑세즈 상을 수상한 소설가 다니엘 롭스는 다음과 같이 말하고 있다.

"……한국만이 아니라 다른 곳에 있는 사람들도 이 이야기들의 감동적인 그 무엇을 알기 위해서는 한 페이지씩 꼭 읽어나가야 할 것이다. 특히 모든 포로들이 압록강 가의 벌판으로부터 산꼭대기의 수용소까지 이동하는 '죽음의 행진'의 장(章)은 꼭 읽어야 한다. 이것을 읽어보면 다른 사람들이 인정 없는 잔인한 이상(理想)의 이름으로 한 인간들을 부숴뜨리려 결심하였을 때 그 인간이 얼마만큼까지 혹독하게 고통받게 되는가를 짐작할 수 있다. 앓으면서 행진을 하다가 흔히는 기관총의 일제 사격으로 비참한 생을 끝맺게 되는 환자들, 조그만 규칙 위반이나 몇몇 간수들의 잔인한 격노로 목에 총알을 맞고 쓰러지는 사람들, 이 끔찍하고 육체적인 비참함, 배고픔, 이와 빈대 같은 해충들, 끊임없이 발병하는 이질과 같은 질병들. 그러나 한 사제에 의해서 씌어진 이 책은 새롭고도 남이 모방할 수 없는 독특한 어조와 비장함을 느끼게 하는 무엇인가가 있다. 신부는 효과를 노리지도 아름다움을 추구하지도 않는다. 그러나 이렇게 한 이유는 문학적인 신중함 때문이 아니라 신부로서의 소명인 애덕에 의한 이유 때문인 것이다. 우리는 2백여 페이지가 되는 이 책 속에서 증오나 폭력이나 복수에 대한 말은 한마디도 찾아볼 수 없다. 그는 고통을 당했으며 열두 명의 동료 신부들은 죽음을 당했다. 그러나 이 모든 고통에도 불구하고 그는 그리스도의 사랑이 고문을 가하는 그 사람들에게는 적용되지 않는다고는 생각지 않았다. 오히려 그는 매 순간 그들을 용서할 태세를 갖추고 있었음을 우리는 느낄 수 있다. 그들은 비록 분노와 증오로 제 방향을 잃었으나 그래도 하느님 앞에서는 그분의 자비 속에 있는 한 형제이기 때문이다. '주여, 저들을 용서하여주소서. 그들은 자기가 하고 있는 일을 모르고 있습니다'(루가 23장 34절). 이 수기가 우리에게 주는 교훈은 진정 그리스도교적인 것이다."

3년 간의 포로 생활을 기록한 책은 이 두 권의 책 말고도 또 한 권이 있다.

샬트르 성바오로 수도회 소속의 옐 으제니 수녀가 쓴 『한 수녀가 겪은 3년 간의 북한 포로기』가 바로 그것이다. 이 책은 일기 형식으로 메모된 짤막한 단상을 모아놓은 것으로 이 지옥의 고통으로부터 살아남은 으제니 수녀는 이 책의 후기에서 다음과 같이 말하고 있다.

"……모든 사건들을 신앙의 빛으로 보는 수녀로서 우리는 북한 땅에서 보낸 3년 간의 포로 생활을 주님께 감사드린다. 그리고 주님의 십자가를 믿고 또 감사하며 우리는 우리 자신과 또한 죽음의 행진에서 돌아가신 모든 분들을 위해 '지상에는 십자가가, 천국에는 기쁨이, 사랑은 어디에나'를 다시 외친다. 이 말씀은 우리들의 포로수용소 생활뿐 아니라 수도 생활을 한마디로 표현해준다. 그보다도 이제 「주님의 자비를 영원토록 찬양하리」를 다 같이 노래하자."

그렇다면 어떻게 된 것일까.

수십 명의 신부들이 그리고 성직자들이 그 죽음의 행진에서 죽어나갈 수밖에 없을 때 앞을 못 보는 장님에 불과한 신체적 장애인이었던 마리 마들렌 수녀는 어떻게 그 죽음의 행진 속에서 살아날 수 있었던 것일까.

그뿐인가.

마리 마들렌 수녀는 자신의 포로 생활을 낱낱이 기억하여 기록으로 남겨둔 것이다. 가르멜 수녀원에서 펴낸 북한 피랍기 『귀양의 애가』는 바로 마리 마들렌 수녀가 기록한 증언인 것이다. 이 책의 서문에서 최민순 신부는 다음과 같이 말하고 있다.

"……최후의 일각까지 죽음의 행진에 발맞추어 나란히 걷던 그들. 전투하던 교회의 전우 중 더러는 오랑캐 땅에서 죽음을 당하였고, 더러는 풀려나서 고국으로 돌아와 다시 한국에 왔다. 『귀양의 애가』 그것은 앞을 못 보는 한 실명한 수녀가 33개월 동안 포로수용소에서 몸소 겪고 느꼈던 바를 섬세한 감정으로 표현해놓은 거짓 없는 기록들이다. 엄살도 에누리도 할 줄 모르는 소박함 그대로의 순수한 저자는 스스로 체험한 현실에서 공산주의가 얼마나 인간성에 대한 자기 모독이며 이와 더불어 인간 안에 뿌리박혀 있는 영성은 어느 힘이라도 결코 꺾을 수 없음을 분명히 보여주고 있는 것이다."

최민순 신부의 서문은, 장미카엘라 수녀가 그에게 보내준 『귀양의 애가』라는 책의 저자는 바로 실명한 수녀 마리 마들렌 수녀임을 분명히 보여주고 있다. 그렇다면 마리 마들렌 수녀는 어떻게 그 죽음의 행진 속에서 살아날 수 있었으며 실명한 장애인으로서 죽음의 행진을 어떻게 낱낱이 보고 그것을 기억하고 또한 기록으로 남길 수 있었던 것일까. 일찍이 영국의 시인 밀턴은 말년에 실명하게 되자 입으로 구술하고 그의 딸이 받아 쓰는 고통 속에서 대서사시 『실락원』을 완성하였다. 그는 『실락원』의 처음에 다음과 같이 노래하고 있다.

"내 시의 대주제의 높이는 영혼의 섭리를 밝히고자 함이요. 또한 사람에게 신의 도리를 옳게 전하고자 함이다. 먼저 말하라. 무릇 하늘도 그대의 눈을 가려 숨길 수가 없구나."

눈먼 밀턴이 하늘도 그대의 눈을 가려 숨길 수가 없는 신의 섭리를 노래하기 위해서 서사시를 썼다면 눈먼 마리 마들렌 수녀 역시 하느님의 섭리를 노래하기 위해서 이 기록을 남겼던 것은 아니었을까.

가르멜 수녀원을 세운 성녀 대 데레사는 다음과 같이 노래하였다.

그렇다. 모진 귀양이어도 나는 끈질기게 사노라
언제고 죽으리란 희망 안에서
죽음, 죽음만이 내게 생명을 주고
내 사랑의 중심임을 약속하노니
오 죽음이여 나에게
생명을 이바지하는 그여
내 그대를 기다리노니
나의 소망을 채워다오
오오라 내 앞에, 고향을 열어 젖히리오라
나는 못 살겠노라 죽고 싶어서.

'낯선 여인숙에서의 하룻밤'과 같은 귀양살이의 인생에서 오직 죽음만이 우리의 희망이며 생명이며 영원한 고향임을 읊었던 대 데레사의 노래처럼, 마리 마들렌 수녀는 죽고 싶어서 못살겠다는 그 위대한 모순 속에서 죽음이 절망이 아니라 희망이며 죽음만이 끝이 아니라 시작이며 죽음이 소멸이 아니라 생명이며 반드시 죽어야만 다시 태어날 수 있다는 진리를 '죽음의 행진'을 통해 뼈저리게 체득하였던 것이 아니었을까.

그렇다.

마리 마들렌 수녀는 비록 육신의 눈은 멀었던 장님이지만 마음의 심안(心眼)은 그 '죽음의 행진'을 통해 한층 더 밝아진 것이다.

마리 마들렌 수녀가 한국에 온 것이 언제인지 정확하게 알려지지 않았으나 대충 1940년경으로 추정된다. 왜냐하면 그녀가 쓴 『귀양의 애가』 책머리에 있는 열 장이 넘는 흑백 사진 중에 한 장의 사진이 그 사실을 가르쳐 주고 있기 때문이다.

그 사진 속에는 서울 가르멜의 초대 원장이었던 마리 멕틸드 수녀와 마리 마들렌 수녀가 나란히 서 있는 모습이 실려 있다. 이 사진의 설명은 다음과 같다.

'한국 가르멜 창립을 위해 프랑스를 떠나기 전의 마리 멕틸드 수녀와 마리 마들렌 수녀의 모습(1939년 4월 12일)'

이 사진 설명문으로 보아 마들렌 수녀가 한국 가르멜 창립을 위해 프랑스를 떠나 한국으로 건너온 것은 1939년 직후가 아닌가로 추정되고 있다. 그 열 장이 넘는 사진들 속에 마들렌 수녀가 등장하는 사진은 모두 일곱 장인데 그중 여섯 장의 사진 속에서 마들렌 수녀는 검은색 안경을 쓰고 있다. 봉쇄 수도원에서 수도 생활을 하고 있는 수녀가 멋을 부리기 위해서 선글라스를 쓰고 있는 것은 아닐 테고 아마도 자신이 시각 장애인이었으므로 사진을 찍을 때마다 혹 자신의 모습을 드러낼까 봐 임시방편으로 눈을 가린 것처럼 보이는데, 그러나 이상한 것은 1939년 프랑스를 떠나기 직전에 찍은 사진 속에서 마들렌 수녀는 색안경을 쓰고 있지 않다는 점이었다.

그녀는 어떠한 안경도 쓰지 않았으며 오히려 카메라를 향해 약간의 미소를 띠고 있을 정도였다. 그런 모습으로 보아 그녀는 태어날 때부터 선천적인 시각 장애인이 아니라 어떤 병환으로 인해 나이가 들어가면서 서서히 망막의 시신경이 죽어가는 후천성 시각 장애인임을 미뤄 짐작할 수 있다. 적어도 프랑스를 떠나기 전까지 마들렌 수녀는 사물을 볼 수 있는 시력을 갖고 있었던 듯 보인다.

마들렌 수녀는 1940년경 프랑스에서 한국으로 건너왔다. 이때의 심정을 수녀는 책 속에서 간단하게 다음과 같이 서술하고 있다.

"자혜로운 하느님께서는 당신이 사랑하시는 한국에 가르멜 수도원을 세우시고자 1940년에 우리를 불러주셨습니다. 일제의 탄

압이 심한 당시의 정세로 보아 우리 앞에는 많은 어려움이 가로 놓여 있었으나 하느님의 도우심으로 우리 가르멜은 고요한 행복 속에 자라나게 되었습니다. 우리 가르멜은 외부 수녀들이 거처하고 있는 장소와 성당이 너무 좁아서 1949년 봄에 이를 확장하고자 공사를 시작하였습니다. 그야말로 맨손뿐인 우리들로서는 너무나 대담한 계획이었지만 노동자의 주보이신 요셉 성인께 간청한 보람이 있어 기대 이상의 도움을 받아 무난히 공사를 진행시킬 수 있었습니다……"

서울 가르멜을 창립하기 위해서 자신의 기록대로 마들렌 수녀가 프랑스에서 한국으로 건너온 것은 1940년, 그 당시만 해도 미약하지만 마들렌 수녀는 사물을 볼 수 있는 시력을 갖고 있었던 것이다. 그러나 6·25전쟁이 발발하였던 1950년까지의 10년 동안 마들렌 수녀는 점점 시력을 잃어가 마침내 완전한 장님이 되었다.

서문을 쓴 최민순 신부는 다음과 같이 말하고 있다.

"……수녀라면 세상과 등진 사람, 더구나 봉쇄 수도회의 가르멜 수도회라면 가장 비생산적인 존재라고 간주되는 것이 일반의 그릇된 상식이거니와 이러한 피상적인 고정관념을 이 『귀양의 애가』가 얼마나 철저하게 시정하여주고 있는가. 노래의 주인공은 국적이 한국이 아닌 프랑스 사람이었다. 대장부도 아닌 일개 여성, 그리고 10년을 하루같이 수도원 밖으로 나가보지 못한 가르멜 수녀이다. 그뿐인가, 그는 앞을 못 보는 장님인 것이다. 그녀는 6·25전쟁 직전에 아주 시력을 잃어버린 장님이 된 것이다."

최신부의 표현대로 마들렌 수녀는 한국에 온 10년 동안 완전히 시력을 잃어버린 장님이 되어버린 것이다. 그렇다면 온전한 몸과 온전한 정신을 가진 수십 명의 성직자들이 그 처참한 죽음의 행진에서 순교하고 있을 때 완전히 시력을 잃어버린 장님이었던 마들렌 수녀는 어떻게 살아남을 수 있었던 것일까. 살아남았을 뿐 아니라 자신이 보고(?), 듣고, 경험한 죽음의 기록들을 어떻게 낱낱이 증언하고 있는 것일까.

하느님을 위해 자신의 모든 것을 버린 성직자 특유의 겸손으로 책 어느 곳에서도 집필자인 자신의 존재를 드러내지 않는 마들렌 수녀는 그러나 이 책의 서문에서 자신의 심정을 다음과 같이 담담하게 서술하고 있다.

"'짐승이 왔다. 반(反)그리스도가 왔다.' 일찍이 러시아의 혁명을 예언한 도스토예프스키가 어린 페디아의 입을 빌려 예언하였던 사실은 6·25로써 이 땅에 실현되었습니다. 묵시록에 나온 붉은 짐승(요한묵시록 12장)처럼 부인과 그 아드님을 모해하려던 반그리스도자, 용의 입에서 내뿜는 죽음의 물결이 가르멜 동산을 어찌 그냥 둘 수가 있겠습니까. 〔……〕 그러나 '앞을 가리지 못하는 몸'이 철의 장막을 동쪽 끝에서 서쪽 끝까지 죽음의 골짜기를 헤매다가 다시 옛 보금자리로 돌아온 오늘날 사랑과 전능의 기적을 온몸으로 느끼는 우리에게는 다만 'FIAT(될지어다)' 성모 마리아의 이 말 한마디가 아브라함의 신앙 그것보다도 훨씬 더 발등의 등불일 따름입니다."

이 책의 저자 마들렌 수녀가 자신을 드러낸 유일한 부분 '앞을 가리지 못하는 몸,' 즉 장님인 자신이 죽음의 골짜기를 헤매다가 이렇게 다시 옛 보금자리로 살아서 돌아올 수 있었던 것은 오직 사랑과 전능의 기적 때문이라고 마들렌 수녀는 고백하고 있는 것이다.

그렇다. 마들렌 수녀가 살아서 생환할 수 있었던 것은 분명한 기적이었다. 살아 돌아와 그 죽음의 집에서의 기록을 낱낱이 증언할 수 있었던 것도 분명한 기적인 것이다.

일찍이 예수는 길을 가다가 태어날 때부터 눈먼 소경을 만나자 땅에 침을 뱉어 흙을 개어서 소경의 눈에 바른 다음 "실로암 연못으로 가서 씻어라" 하고 말하였다. 그러자 소경은 가서 얼굴을 씻고 눈이 밝아져서 돌아왔다. 이때 많은 사람들이 예수가 행한 기적을 믿지 아니하고 분명히 그 소경이 태어날 때부터 눈이 멀었던 사람임에 틀림이 없는가를 부모를 불러 따져보고 나중에는 소경이었다가 눈을 뜬 사람을 직접 불러다가 생트집을 잡았다. 이 말을 들은 예수는 다음과 같이 말하였다.

"내가 이 세상에 온 것은 보는 사람과 못 보는 사람을 가려 못 보는 사람은 보게 하고 보는 사람은 눈멀게 하려는 것이다."

이때 예수와 함께 있던 바리사이파 사람 몇이 "그러면 우리들도 눈이 멀었단 말이오" 하고 대들자 예수는 "너희가 차라리 눈먼 사람이라면 오히려 죄가 없는 것이다. 그러나 너희는 눈이 잘 보인다고 하니 너희의 죄는 그대로 남아 있는 것이다"라고 말하였다.

그렇다면 마들렌 수녀는 예수의 말대로 육신의 눈이 멀어 장님이 됨으로써 오히려 실로암 연못으로 가서 얼굴을 씻고 눈이 밝아져서 돌아온 소경처럼 영성의 눈을 활짝 뜨게 된 것이 아니었을까. 실로암의 뜻은 '파견된 자.' 그러므로 마들렌 수녀가 3년 간 포로가 되어 혹독한 죽음의 행진을 체험했던 것은 오히려 강제로 납북된 것이 아니라 파견되었던 것이 아니었을까. 오히려 그녀가 체험했던 죽음의 땅이 그녀의 영적인 신앙을 눈뜨게 한 실로암의 연못이 아니었을까.

나는 천천히 장미카엘라 수녀가 보내준 마리 마들렌 수녀가 쓴 『귀양의 애가』를 읽기 시작하였다. 마들렌 수녀의 수기는 6·25 전쟁의 발발에서 시작된다.

2

6월 25일

오후 4시쯤 되어 공신부님(그는 죽음의 행진에서 순교하였다)께서는 전쟁이 일어났음을 우리에게 알려주시러 오셨습니다. 오후 5시 성체 강복에 우리들은 더욱 열심한 마음으로 기도를 드렸습니다. 모든 것을 예수 성심과 한국의 주보이시며 가르멜의 모후이신 성모님께 애원하였습니다. 북한의 침략이 있을 만약의 경우 한국군의 군사력이 부족하므로 미국의 원조가 약속되어 있었고 또 우리는 그것을 믿고 있었지만 그렇게 빨리 원조의 손길을 받을 수 있었겠습니까. 서울은 38선에서 약 40킬로미터밖에 되지 않는데. 6월 26일 저녁에는 멀리서 그러나 똑똑하게 포성이 들려왔습니다.

6월 27일 아침

방주교님께서 원장 수녀님을 부르시더니 말하였습니다.

"지금 마지막 비행기가 도쿄로 떠난답니다. 이용하시려면 십분 내에 준비하셔야 합니다."

우리 원장 수녀님께서는 다음과 같이 여쭈어보았습니다.

"우리 한국 수녀들도 탈 수 있겠습니까?"

"아닙니다. 유럽인들만이 탈 수 있습니다."

원장 수녀님께서는 이 소식을 알리고자 급히 우리들을 부르셨습니다. 그때 방주교님께서는 객실에서 우리를 기다리고 계셨습니다. 만일 우리들 모두가 비행기를 탈 수 있다고 하였더라면 아마 우리들은 떠났을 것입니다. 그러나 우리는 중국에 있는 가르멜과 불가리아의 가르멜이 공산 치하에 있으면서도 기도의 집을 보존하고 있는 사실을 잘 알고 있었고 또한 우리의 딸들인 한국수녀들과 헤어질 수 없었기에 그대로 머물러 있기로 하였습니다. 목자는 양떼가 위험을 당할 때 도망하지 않습니다.

포성이 점점 더 가까워졌습니다.

밤에는 불을 켤 수 없었으므로 묵상 시간인 오후 5시에 독서 시과를 드리고 있는데 구인덕 신부님(성신대학 교수. 벨기에 분으로 본명은 셀레스탱 코요스, 그는 당시 폐결핵을 앓고 있었음에도 열두 명의 신부들이 순교한 죽음의 행진에서 살아남은 유일한 사람이었다. 그는 이때의 경험을 '나의 북한 포로기'라는 제목으로 기록하였다)께서 오시더니 지금 북한이 서울의 문턱에서 가르멜이 있는 쪽으로 대포를 쏘기 때문에 위험하다는 것과 성바오로 수도원으로 피난을 가면 좋겠다는 말씀을 하셨습니다.

우리가 모든 것을 다 버리고 집을 비우고 떠난다면 수도원은 공산당의 손에 들어갈 것만 같아 우리는 회의를 열어서 몇몇 수녀만 남아 있기로 하고, 나머지는 좀더 안전하다고 생각되는 성바오로 수도원으로 피신하기로 하였습니다. 그러나 안전하리라고 생각했던 그곳은 더 위험했습니다. 성바오로 수녀원과 고아원은 서울 시내에서도 가장 번잡한 곳에 위치해 있을뿐더러 바로 옆에 있는 남산에서 발사하는 포탄 바로 밑이라 귓전이 찢어질 듯한 포성에 수도원 사람들이 모두 놀라 벌벌 떨고만 있는 것이었습니다.

한편, 가르멜에 남아 있던 수녀들은 총알이 정원을 쌩쌩 지나가는 소리를 들었다고 했습니다. 카멜리트들을 항상 염려하시며 보살펴주시는 공신부님께서는 당신의 사제관 지하실에 우리들을 피신하도록 하셨습니다. 공신부님의 사제관은 우리 외부 수녀들의 마당에 있었으므로 가르멜을 쉽게 돌보실 수 있었습니다.

지하실은 견고하고도 깊었으므로 벌써 대신학교에서는 이곳으로 성체를 모시고, 교수 신부님과 신학생들이 와서 모두 말없이 조배를 드리고 있었습니다. 스승이신 그리스도께서 옆에 계시므로 우리들의 불안은 차츰 진정되어갔습니다. 그러나 전황을 살피러 지하실에서 나오면 형용할 수 없는 요란한 소리가 귓전을 진동시키는 것이었습니다.

공신부님께서는 참으로 침착하게, 초조한 빛이라고는 조금도 없이 서서히 미사 성제를 거행하셨습니다. 펑, 펑 폭음은 연이어 들려오고 북한은 시내까지 밀고 들어와 시가전이 벌어졌고, 공산군의 탱크가 사방에서 포탄을 퍼부으니, 있는 힘을 다해 항거하던 우리 국군은 끝내 후퇴하기 시작하였습니다. 국군 한 명이 우리가 있는 마당을 지나가다가 자신의 텅 빈 탄창을 보이며 "이거 어떻게 합니까" 하고 비통해했습니다.

아침 8시, 남한에 있던 공산주의자의 환호 속에 거리거리에서 공산군들은 개선 행진을 하였습니다. 참으로 그 붉은 군대는 많기도 하였습니다.

그날은 6월 28일 수요일이었습니다. 북한의 지배 하에 있게 되자 우리는 우리 수도원의 봉쇄를 해제하고, 또한 그들의 눈길을 피하기 위하여 우리가 그처럼 사랑하던 수도 성복을 벗고, 그 대신 한복으로 갈아입었습니다. 전날 밤을 성바오로 수도원에서 지낸 우리 수녀들은 모두 우습게 변장들을 하고 저녁때 돌아왔습니다.

6월 29일

전투는 서울시를 벗어나 계속되고 있었지만, 30일에는 벌써 포성이 들리지 않아 우리들은 공산군이 쉽게 남하하고 있음을 알 수 있었습니다. 그들은 서울을 점령하자마자 국군 병원에 입원해 있는 부상병들을 학살하고, 은행을 강탈했으며, 감옥 문을 열어 죄수들을 풀어놓았습니다. 또, 각 동마다 매일 회의를 열어 강연을 한답시고 어떻게나 시간을 끄는지 사람의 진을 빼버리는 것이었고, 게다가 한 가정에서 한 사람씩은 반드시 참석하라는 강요에 못 이겨, 우리 외부 수녀도 거기에 참석하고 돌아오면 심한 두통까지 앓는 것이었습니다. 뿐만 아니라 더욱 가관인 것은, 강사라는 자가 이북에서 내려온 자들이 아니라, 그 동네에 사는 사람들로서 북한 빨갱이 지배 하의 새로운(?) 동무로 돌변해 나타나기 때문이었습니다.

수도원 내부에서는 성물, 특히 제의실(祭衣室)의 귀중한 물건, 제의 · 경본 등을 감추느라 야단들이었습니다. 더구나 한번 감추었다가도 다시 좀더 안전하다고 생각되는 장소를 찾게 되면 몇 번이고 옮기는 데 무척이나 애를 썼습니다.

너무나 슬프고도 그러나 정확한 소식이 우리들에게까지 들려왔습니다. 그것은 주교관과 성바오로 수도원을 모두 빼앗기고,

수녀들은 고아원에서 2, 3일 동안만 머물렀다가 모두 나가라는 것입니다.

1948년 원산에 있는 독일 성분도회 수사 수녀들이 투옥될 때, 골롬바 신부님의 저서가 모두 번역되어 인쇄 준비가 다 되어 있던 것과, 다른 모든 번역물들이 들어 있는 궤짝이 공산군의 손에 들어가 틀림없이 불태워져버리고 말았으리라는 소식을 우리가 잘 알고 있었으므로, 수련장 수녀님께서는 이를 걱정하시며 우리가 애써 만든 모든 번역물을 어떻게 해서든지 살려야 한다는 말씀을 수련자들에게 계속 되풀이하시었습니다. 새로 나타난 이들 승리자들은 우리 수도원의 존재를 전혀 몰라서인지 우리 가르멜을 그때까지 별일 없이 지내게 두었습니다. 다만 우리가 성당에 있을 때 길가에서 떠들며 노래하는 요란한 소리와 군수품을 운반하는 트럭의 소란한 소음만이 끝없이 들릴 뿐이었습니다.

7월 11일

성바오로 수도원 지도 신부이신 우신부님과 프랑스 부공사와 비서가 체포되었다는 소식을 들었습니다. 같은 날, 공산군 부대장은 우리 가르멜에서 불과 150미터 거리밖에 안 되는 대신학교를 보러 왔다가, 우리 수녀원이 있는 것을 알고 나서부터는 심문과 수색을 시작하였습니다.

7월 14일

그들이 다시 와서는 모든 유럽인 천주교 신자는 내일 주교관에 호출하겠다는 말을 하고 돌아갔습니다. 그래서 원장 수녀님은 서울 시내에 본가가 있는 지원자 다섯을 돌려보내고, 다른 수녀들을 위해서는 잘 아는 교우 댁으로 안전한 피신처를 찾으며, 각자에게 얼마 되지 않는 양식과 속옷 및 소액의 돈을 넣은 작은 보따리를 준비해주셨습니다. 모든 수녀들의 마음은 답답하기 짝이 없었습니다. 바로 이날 밤이 마지막이 되리라고 예측은 하면서도 그것이 사실일지 믿어지지가 않았습니다. 밤이 이슥하도록 눈물 어린 대화들이 이어졌고, 나중에는 예수 성심께 기도드리며, 우리의 운명을 맡기면서 자리를 뜨기 어려운 마음을 달래며 각자 독방으로 돌아갔습니다.

7월 15일 아침

공신부님 형제분과 구신부님께서는 우리 성당에서 미사 성제를 거행하셨습니다. 시내 본가로 갔던 지원자들도 모두 돌아와서 이 미사에 같이 참여하였습니다. 이는 우리가 오랫동안 영성체도 못 하고 많은 고통을 당할 것을 미리 알고 계시는 하느님께서 준비하신 위로로, 우리 수도 가족이 한 번 더 감실 앞에 모여 우리들도 함께 봉헌할 수 있는 기회를 주신 것입니다.

공산군 장교들은 다시 오더니 여러 가지 질문을 하고는 우리들을 식당에 보낸 후 신학교로 돌아갔습니다. 그러나 우리들이

식사를 끝내자 그들은 다시 와서 외쳤습니다.

“여길 떠나야 하오. 빨리빨리 나오시오.”

우리들은 서둘러 수도복으로 갈아입고 나서, 각각 작은 보따리 하나씩을 들고 나서니까 공산군은 그것을 막으며, 잠깐 갔다가 어떤 수속만 마치고 나면 오늘 저녁 안으로 곧 돌려보내줄 터이니, 그 보따리는 그냥 두라고 하므로 우리들은 마치 산책 가는 사람들처럼 아무것도 지니지 못한 채 그들을 따라나서야만 했었습니다.

우리 한국 수녀들은 마루에 모여 흑흑 흐느끼며 울었습니다. 앞 못 보는 마리 마들렌 수녀에게 제일 큰 딸(수녀)이 말하였습니다.

“때가 이르렀습니다.”

그 목소리를 알아듣고 마들렌 수녀가 대답하였습니다.

“예수께서 이렇게 하시니 가장 좋은 것입니다.”

보지 못하는 마들렌 수녀를 인도하고자 손을 잡고 나가자, 뒤돌아보면서 동료 수녀들에게 늠름한 태도로 말하였습니다.

“이 사람들 앞에서 울지 마시오.”

마들렌 수녀는 봉쇄문까지 걸어갔습니다. 우리 일행이 마루끝에 이르러 모습이 보이지 않게 되자 우리 한국의 어린 수녀들은 표현할 수 없는 비애에 젖은 목소리로 부르짖었습니다.

“우리 어머님, 어머님들 강복 주십시오.”

원장 수녀님께서는 돌아보시더니 큰 십자가를 그으며 강복하셨습니다.

이때 수련장 수녀님께서는 큰딸(수녀)을 향하여 말하였습니다.

"당신이 제일 맏언니이니 우리들 대신 동생 자매들을 돌보아 주시오."

마들렌 수녀님은 마지막으로 그의 손을 꼭 잡았다 놓으시며 다음과 같은 말을 남기고 떠나가셨습니다.

"항상 주님 안에서."

대문 앞 언덕 아래에 지프차 두 대가 우리를 기다리고 있었습니다. 차 안에는 병정이 두 명씩 있었고, 한 차에는 공신부님 형제분과 구신부님과 마리 앙리에트 수녀님이 타시고, 마리 멕틸드 수녀님과 원장 수녀님, 수련장 수녀님, 벨리데타 수녀님은 또 다른 차에 오르셨습니다.

시내 중앙의 어떤 큰 건물 앞에 우리를 내려놓았습니다. 이 건물은 우리를 제법 큰 손님으로 맞이하려는 화려한 호텔 같기도 했습니다. 뒤에 알고 보니까 '평화를 유지하는 감옥'이라고 그들은 말하고 있었습니다.

2층에서 공산당원들이 우리를 심문하기 위해 기다리고 있었습니다. 그들은 50번 이상을 한결같이 연령, 국적, 한국에 입국한 연월일, 서원에 대하여 질문하므로 나중에는 이에 대답하는 것도 아주 기계적으로 되어버렸습니다. 또한 제국주의, 자본주의, 복음 성경의 말씀과 신자들의 그 실천 생활 상황, 교황에 대하여 캐물었는데, 그들은 앙드레 지드의 저서에 대해 감탄할 정도로

깊이 정통하고 있었습니다. 이렇게 하여 두서너 시간을 보내었습니다. 그러고 나서는 다른 방으로 데리고 가더니, 우리를 홀로 내버려두기에 우리는 이 틈을 타서 가르멜 산 성모 성의 침례의 (7월 16일) 독서 시과를 주의 기도로 대송하여 기구하였습니다. 수난 시초에는 천상의 어머님의 보호가 더할 바 없이 간절히 필요하였습니다.

오후 6시쯤 맨 아래층의 어떤 큰 방에 끌려 들어가보니까 뜻밖에도 거기에는 주교관에서 체포되신 교황 사절 방주교님과 비서 부신부님과 유신부님이 계셨으므로 몹시 반가웠습니다. 주교님께서는 친절히 맞아주시며 우리에게 용기를 북돋워주시고 작은 포도주 한 병을 주셨습니다. 이 감옥의 매일의 식사는 겨우 보리밥 두 덩어리뿐이었습니다. 주교님을 위해서 유신부님은 사식(私食)을 마련하러 외출 허가를 얻었습니다. 이 틈에 가져온 포도주와 작은 고깃점을 저녁 주먹밥 돌릴 때 슬며시 우리들에게 보내주시는 것이었습니다.

8시경에는 약 백 명가량의 한국 사람들이 들어와 방이 꽉 차게 되었습니다. 아마 그들은 공산주의의 반동으로 선언된 사람들 같았습니다. 우리들만 있을 때에는 상당히 넓던 방이 매우 좁아졌습니다.

매일 저녁 어디서 왔는지도 모르는 한국 사람들이 한 무리씩 방으로 들이닥치곤 하였습니다. 밤새도록 끊임없이 쏘아대는 무수한 총탄, 어떻게 그 많은 사람들이 다 희생이 되고 마는 것인지 도무지 알 수 없는 노릇이었습니다. 어떻든 날이 새고 보면 한 사람도 보이지 않으니 말입니다.

밤이 되면 어떻게 좀더 편히 쉴 수 없을까 하여 자리를 짜봅니다. 방주교님과 부신부님만 계실 때는 넓었지만 우리가 온 후로 열한 사람이 더 늘었습니다. (한국 사람들도 같은 방에 있었지만 한쪽 구석에 유럽인만 몰아넣었다.) 시멘트 바닥일망정 어디 좀 앉아서 몸이라도 펼 수 있는 자리가 없을까 하였으나 허사였습니다.

이런 불편을 즉시 알아차리신 주교님께서는 우리가 미안해하고 주저하는 것을 보시자 말씀하셨습니다.

"이런 비상시에는 서로 끼어 있어도 조금도 과실이 아닙니다."

공경하올 주교님이나 우리들도 얼마 후에는 짐승들처럼 남녀의 구별도 없이 한자리에 있으면서 얼마나 고난을 당할지 몰랐던 일이었습니다.

공신부님 형제분은 두 분의 마음의 깊은 일치를 말해주는 듯 나란히 팔을 끼고 평온한 신앙 속에서 형제답게 사랑으로 서로를 격려하며 감옥 생활을 시작하였습니다. 그들은 다가오는 11월에 24시간 동안 잠시 서로 헤어져 있다가 다시 천상 영광 속에 영원히 함께 살게 되었습니다.

무거운 침묵 속에서 우리의 생각과 우리의 마음은 미어지는 듯, 우리의 애정은 그렇게도 갑자기 떠나게 된 우리의 작은 가르멜로 향하였습니다. '우리들이 떠나온 후 우리 수녀들은 어떻게

되었을까? 온통 공산당들의 세상이 된 오늘, 그 원수들이 무슨 짓이든 못 할 게 없을 그 위험 속에서…… 그 포악한 자들이 우리 수녀들에게 무슨 짓을 할는지?' 가슴이 에는 듯한 생각을 옥중에서 수백 번 되풀이하였건만, 그 뒤 33개월 동안이나 아무 소식도 들을 수가 없었습니다.

7월 16일 일요일

아침에 수많은 전투기들이 몰려와 폭격은 하지 않고 우르릉우르릉 폭음을 내며 위협하였습니다. 그렇게 위협한다고 우리를 감시하는 자들이 좀더 친절해질 리는 만무합니다. 발뒤꿈치를 세우고 무릎을 꿇은 채 꼼짝 말고 앉아 있으라고 호령호령합니다. 창문이란 창문은 모두 꼭꼭 밀봉되어 있고 그럴수록 더위는 찌는 듯이 심한 데다가 공기마저 잘 통하지 않으니 꼭 질식할 것만 같았습니다. 천만다행히도 유리창 하나가 깨져 있었는데, 그곳으로 바람이 조금씩 들어오는 것이었습니다. 모기떼는 기승을 부리고 덤벼들어 잠시도 편안하게 해주지를 않았습니다. 그러나 밤보다도 낮이 더욱 어려웠습니다. 갈증이 나서 목이 타는 듯하지만, 그 많은 사람에게 하루에 두 조롱의 물밖에 주지 않으므로 누구나 목을 축이기도 어려웠습니다. 더구나 세수하겠다는 말은 입 밖에 낼 엄두도 못하였습니다. 그러나 우리는 이런 생활을 계속하는 동안에 어느덧 이런 생활이 예사로 되어버렸습니다.

오후만 되면 줄곧 심문으로 보내는데 한 사람마다 심문관이 한 명씩 달렸는데, 그들은 시뻘겋게 흥분해 가지고 마구 화를 내며 고함을 질러댔습니다.

"로마 · 바티칸, 이런 것들을 깡그리 없애버려야지!"

마리 멕틸드 수녀님은 심한 문초로 더욱 시달리셨습니다.

"이 할미야, 네가 한국의 젊은 여성들을 다 망쳐버리지 않구 무엇을 했으마, 앙?" 하며 주먹질까지 하는 것이었습니다. 수녀 한 분이 멕틸드 수녀 대신에 많은 심문에 대답하고 있는 동안 심문관 옆으로 한 공산당원이 다가오더니 우리에게도 들릴 만한 목소리로 "신부, 수녀는 오늘 밤에 모조리 죽이랍니다"고 말하고 나갔습니다. 우리들을 잡아다 놓고 편안하게 내버려둘 리가 없습니다. 그래서 그들은 참으로 가증스러운 연극을 꾸미기 시작하는 것 같았습니다.

저녁이 되자 새로 연행되어 온 사람들로 방은 가득 찼습니다. 우리를 감시하는 자들은 '모의 인민 재판'을 열었습니다. 흥분해서 손짓을 해가며 떠드는 내용은 이러했습니다.

"여러분, 이 여인들을 보십시오. 일도 하지 않고 사는 게으른 자, 가르멜 수녀들이오. 민족을 위해서는 아무것도 하는 일이 없고 다만 귀중한 물품을 자기 본국으로 보냄으로써 우리나라를 더욱 가난하게 할 뿐이니, 동무들, 어떻게 생각들 하시오. 이 자들을 살려둘 자격이 있어요?"

의심할 나위도 없이 미리 다 짜고 하는 짓이었습니다. 그들은 이내 주먹을 휘두르며 고함을 쳤습니다.

“가르멜 수녀들을 죽여버리시오. 죽입시다. 없애버립시다.”

그들 앞에서는 인간의 생명이란 파리 목숨과도 같은 존재이고 그들의 양심은 무디어 아무런 거리낌 없이 목숨을 처리한다는 것을 우리는 잘 알고 있었기 때문에 마지막 시간에 이른 줄로 믿었습니다. 우리는 죽음의 준비를 잘하고자 자신의 서원을 새롭게 하고 사랑하는 모든 영혼에게 우리들의 사랑과 마지막 키스와 최후의 인사를 보내고 우리 성교회와 한국과 그리고 사랑하는 우리 가르멜의 지향대로 우리 생명을 하느님께 바치기로 했습니다.

가르멜 산 모후의 큰 첨례날(성모 성의 축일) 가르멜의 아름다움이신 모후 옆으로 가게 되는 기쁨은, 다가오는 죽음에의 공포를 사라지게 하고 오히려 평화와 고요 속에 기다리게 해주었습니다. 그 어두운 밤, 밖에서는 유난히도 총소리가 많이 들렸습니다. 우리를 감시하는 자들은 구신부님께 여러 가지를 신문하며 사제의 독신 제도에 대해서 오랫동안 논쟁을 벌였습니다. 책상을 지키고 앉아 있던 무리 중에 두목같이 보이는 자가 거친 목소리로 말하였습니다.

“오늘 밤에 120명은 죽여야 해.”

연행해 온 한국 사람들을, 한 사람씩 한 사람씩 밖으로 불러내더니 이어서 총소리가 들려왔습니다. 점점 방 안이 훤해졌습니다. 이제는 우리 차례입니다. 그들은 공포에 떠는 우리의 얼굴을 보고자 촉수가 높은 커다란 전등으로 바꾸더니 눈이 부시도록 불을 켜놓았습니다. 한 시간…… 두 시간, 피가 마르는 시간이 지나갔습니다. 문이 열릴 때마다 우리를 부르러 오는 것만 같았습니다. 밤이 지나고 새벽이 가까워오자 촉수가 센 전등을 끄러 왔습니다. 이제 방 안에는 어슴푸레한 전등 불빛만이 말없이 비추고 있었습니다.

날은 환히 밝아왔습니다. 사제들도 수도자들도 모두 아직 살아 있었습니다. 간밤의 총살 사건은 우리들에게 무서운 공포를 안겨주려고 꾸민 연극이었나 봅니다. 예수 그리스도를 위해 우리의 생명을 바칠 수 있는 절호의 기회를 놓치게 된 것이 한편으로는 애석하기도 했습니다.

7월 17일

우리가 있는 방이나 옆방 할 것 없이 견디기 어려운 7월의 폭염 속에 더위는 불을 뿜는 듯하였습니다. 많은 사람들이 끌려와서는 어느 종교를 막론하고 믿지 않을 것, 또한 자녀들에게 종교교육을 시키지 않을 것, 어느 교회에든지 나가지 않을 것 등을 서약한 후, 도장을 찍고 담배와 돈을 타 가지고 풀려나갔습니다.

2층은 아마 고문실인가 봅니다. 몽둥이로 때리는 소리, 고통에 찬 신음 소리, 비명이 건물 안을 흔들어놓는 데는 심장이 오므라드는 것 같았습니다. 우리의 육신, 우리의 마음과 우리의 영혼, 그리고 우리 안에 있는 모든 것이 괴로웠습니다. 선하신 하느님께서는 우리들에게 용기를 북돋워주시려 미소를 보내주셨습니다. 앞을 못 보는 수녀가 틈을 타서 손이나 좀 씻어볼까 하고 마루에서 기다리고 있었습니다. 병정의 무거운 발소리가 앞을 지나가는구나 하고 깨달은 순간, 나직한 목소리로 "찬미 예수" 하고는 지나가버렸습니다. 아! 아! 이 지옥에 우리 교우 형제가 있다는 것은 너무나 뜻밖의 일이었으므로 미처 대답을 못 했습니다. 대답해야 한다고 깨달았을 때는 그는 이미 멀리 사라진 뒤였습니다.

우리들을 지키는 감시병들은 밤에 할 일 또는 새로운 일의 준비를 위해서 눈코 뜰 새 없이 일하고 있었습니다. 이상한 일입니다. 이 사람들은 밤에 자지 않고도 살 수 있는 어떤 묘법을 가지고 있는 듯했습니다. 서울서 체포된 때부터 자유를 얻던 날까지 수용소에서나 장교실에서나 언제 보아도 밤중에 불을 환히 켜놓고 책상 위에 구부리고 열심히 무엇인가를 쓰고 있으니 말입니다. 사탄은 어둠 속에서 일하기를 좋아하는 법인지요.

오후가 되자 2층에서는 못 박는 소리, 물건을 움직이는 소리가 들려왔습니다. 이 요란한 행동에서 과연 무슨 연극이 진행되고 있는 것인지요. 봉쇄 담 안에서 살고 있던 수녀들에게 신문명의 산물인 기계에 대해서 설명하라고 청할 사람도 없겠거니와 청한들 응할 수도 없는 것입니다. 확실히 무슨 기계를 장치하는 것처럼 들렸습니다.

저녁 9시나 10시쯤 되었을까. 2층에 우리 한국의 작은 자매들이 체포되어 온 것 같았습니다. 데레지타, 아네스, 미카엘라, 가브리엘라 등의 이름을 부르더니 천주교를 배반하라고 강요하는 소리가 들렸습니다. 어떤 수녀는 배반하고 어떤 수녀는 거절하였습니다. 거절하는 자에게는 고문을 가하나 봅니다. 칼날 같은 소리와 더불어 고통에 못 이겨 지르는 비명으로 온몸에 소름이 쭉 끼쳤습니다. 우리 수도원을 도와주고 있던 일하는 아저씨도 오랫동안 심문을 당하고 있었습니다.

이것으로 끝나자 이번에는 대신학교의 학생인 듯 용감하게 신앙을 고백하고는 소리를 질렀습니다.

"너희들이 어떠한 짓을 해도 나는 결코 하느님을 버리지 않겠다."

그러자 고문이 시작되고 다음과 같이 조롱하였습니다.

"어디 하늘에 계시다는 너의 아버지가 와서 도와주나 보자."

금방 숨이 끊어질 듯한 소리가 들려왔습니다. 그후에도 무서운 신음 소리는 오랫동안 계속되었습니다. 그러다가는 갑자기 고통에 못 이겨 부르짖는 소리가 들려와 우리는 깜짝깜짝 놀라지 않을 수 없었습니다. 도대체 저것이 연극인가, 아니면 사실인가, 2층에서 하는 말을 하나도 알아들을 수 없도록 그들은 부산을 떨기도 합니다. 몇 마디만은 똑똑히 들리고 대개는 말끝을 흐려 입 안에서 우물쭈물해버리고 맙니다. 잘 들려오는 듯싶을 때마다 우리 곁에 있는 감시병의 쿵쿵대는 큰 기침 소리로 말미암아 흐려지고 맙니다.

고문대의 기계 소리는 무어라 형용할 수 없을 정도로 신경을 자극했습니다. 기계 장치가 불완전한 탓인지 아니면 너무 잔인한 탓인지 알 수 없었습니다. 우리의 의심은 가시지를 않았습니다. 판단이 빗나가지 않았다면 두번째 억측이 맞는 듯싶었습니다. 이 무서운 밤에 연출한 비극은 모두 조작이었다는 것을 귀양길에서 프랑스로 돌아간 후에야 알았습니다. 다시 서울에 와서 딸들에게 물어보았더니, 그때 우리 수녀들은 모두 사랑하는 우리 가르멜에 있었던 것입니다.

7월 18일 저녁

5시경에 우리를 감시하던 공산당 장교는 부하 장병에게 단도 다섯 자루를 준비하라고 명하고는 다섯 명의 병정을 불러 소곤소곤 무언가 지시하였습니다.

"동무 하나가 가르멜 수녀 하나씩 죽이시오. 먼저 심장을 찌르고 손가락과 코와 귀를 베어버리시오. 단, 새벽 1시가 지난 다음에 하시오."

아니나 다를까 밤이 되니까 정말 손에 단도를 든 병정 다섯이 우리 바로 옆에 와서 앉았습니다. 이따금 그들은 "아직 시간이 안 됐지요" 하고는 서로 말을 주고받으며 잘도 통하는 듯싶었습니다. 그들은 언제나 시간을 늦추기 위해서 그럴듯한 구실을 잘도 꾸며냈습니다. 아침에 그들이 물러간 뒤 살펴보았더니 우리들은 찔린 곳 하나 없이 모두 무사했습니다.

7월 19일 수요일

갑자기 떠나라는 명령이 내렸으나 성바오로회 수녀 두 분과 방주교님을 모시고 감옥에 들어오신 유신부님만은 제외되었습니다.

"우리들은 어디로 가는 것일까요. 아마 평양으로 아니면 이북의 감옥으로" 하며 우리는 서로 속삭였습니다.

우리는 트럭 위에 올라앉았습니다. 이번에는 앉을 자리가 있었습니다. 서울 시내를 지나면서 행여나 우리 수녀를 볼 수 있을까 하고 길거리의 사람들을 하나하나씩 유심히 살펴보았으나 눈에 띄는 것이라곤 널빤지와 벽에 붙어 있는 스탈린 · 김일성의 초상화뿐이었습니다. 얼마쯤 가다가 트럭에 불이 나서 다른 차로 옮겨 탔습니다.

3

저녁 미사가 끝난 것은 8시 무렵이었다.

미사에 참례하였던 신자들이 뿔뿔이 헤어지기를 기다려 그는 고백소 앞으로 다가갔다. 미사 전과 미사 후 30분 정도 신자들을 위해 따로 성사를 보고 있었으므로 고백소 앞은 미리 와서 대기하고 있던 신자들로 줄을 이루고 있었다.

아직 부활절 판공 성사 기간은 아니었다. 판공 성사의 기간은 내주부터 시작되었지만 한꺼번에 신자들이 몰릴 것을 우려한 성당 측에서는 사순절 기간 중에 보는 성사는 판공 성사와 다름이 없으니 따로 고백 성사를 보지 않아도 좋다고 미리 일러두었으므로, 고백소 앞은 미리 성사를 보려는 신자들로 긴 줄을 이루고 있었다. 그래서 고백소 앞에는 성사를 본 후 성사표를 제출하기 위해 마련해놓은 나무통이 놓여 있었다.

그는 줄 맨 뒤에 가서 섰다. 고백소는 신부가 앉아 있는 작은 밀실을 가운데로 하고 양쪽으로 나누어져 있었다. 성사를 마친 신자가 나오면 기다리고 있던 사람은 그 고백소 안으로 들어가서 맞은편 신자를 상담하고 있는 신부가 마칠 때까지 기다려야만 했다.

그는 맨 뒷줄에 서서 차례를 기다리며 자신이 언제 마지막으로 고백 성사를 보았던가를 기억하여보았다. 지난 연말 성탄절을 앞두고 성사를 해야 할 마땅한 의무가 있었음에도 불구하고 그는 보지 않았으므로 거의 1년 만에 고백 성사를 보는 셈이었다.

그는 평소 죄를 고백하는 성사에 관해서는 무심한 편이었다. 십계명을 거스르는 대죄를 빼어놓으면 일상생활에 수시로 지을 수 있는 소죄들은 이미 하느님으로부터 용서받았으므로 일일이 죄의 강박관념에 얽매이는 것은 오히려 신앙의 정신을 거슬리는 것이라는 낙관적인 생각을 갖고 있었기 때문이었다.

그러나 이번에는 달랐다. 이번 사순절 기간은 그에게 있어 불붙는 지옥이었다.

예수는 말하였다.

"살인하지 말라. 살인하는 자는 누구나 재판을 받아야 한다고 옛사람들에게 하신 말씀을 너희는 들었다. 그러나 나는 이렇게 말한다. 자기 형제들에게 성을 내는 사람은 누구나 재판을 받아야 하며 자기 형제를 가리켜 바보라고 욕하는 사람은 중앙 법정에 넘겨질 것이다."

예수의 말처럼 그는 비록 칼을 들어 S의 심장을 찔러 살인을 하지 않았을지라도 S를 향한 살의와 같은 증오심과 저주를 품고 있는 이상 그는 이미 사람을 죽인 살인자와 다름이 없었던 것이었다. 그가 판공 성사 기간을 기다리지 않고 일주일이라도 먼저 고백 성사를 해야겠다고 결심을 한 것은 그러한 증오심에 따른 불붙는 지옥의 고통 때문이었던 것이다.

그는 견딜 수 없었다.

그의 마음은 S를 향한 증오와 저주로 가득 차 있었다. 남을 미워하고 저주하는 마음이야말로 불붙는 지옥임을 그는 절실히 깨달았다. 그것은 자신의 몸을 스스로 파괴하는 자해 행위와 다름이 없었으며 자신의 영혼을 서서히 죽여가는 자살 행위와 다름이 없었다. 새 학기를 맞아 학생들을 가르친 지 한 달이 넘어가고 있었지만 그는 수업에도 열중할 수 없었다. 밤마다 그는 악몽에 시달렸으며 S에 대한 복수를 꿈꾸는 것으로 하루하루를 보냈다.

도스토예프스키의 『죄와 벌』에서 주인공 라스콜리니코프는 전당포 노파를 살해한다. 이 살인의 고통으로 번민하던 그가 거리의 창녀였던 소냐에게 자신의 죄를 고백하자 소냐는 눈물을 흘리면서 이렇게 말을 한다.

"어서 일어나서 네거리로 나가 더럽힌 땅에 엎드려 입을 맞추고 그리고 온 세상을 향해 절하면서 '나는 살인죄를 범했다'고 소리쳐야 해요."

그는 S를 더럽혀진 땅에 엎드려 입을 맞추게 하고 싶었다. 또한 S를 네거리의 광장에 데려가서 온 세상을 향해 절을 하게 한 후 자신이 저지른 죄를 큰 소리로 소리치도록 하고 싶었다. 그렇게 해야만 S를 향한 증오와 적의의 불꽃이 꺼지고 마음의 평화를 바로 찾을 수 있을 것만 같았다.

고백소 앞에 서 있는 줄은 조금씩 줄어들고 있었다. 그는 자신이 고백소 안에 들어가서 신부에게 고백할 죄의 내용을 하나하나씩 점검해보았다. 작년 부활절에 고백 성사를 보았으며 1년만에 성사를 보는 셈이었지만 뚜렷하게 고백해야 할 죄의 내용은 떠오르지 않고 있었다.

1년 내내 학생들을 지도하고 가르치는 교사 생활이었으므로 뚜렷이 죄를 지을 만한 자극적인 쾌락과는 거리가 먼 단조로운 생활이었던 것이다. 사순절이 시작되는 첫날 새로 이사 온 성당에서 S를 만나지 않았더라면 그는 굳이 고백 성사를 해야 할 죄를 발견치 못했을 것이다. S를 만남으로써 나는 마음속으로 살인을 저질렀다. 마치 육체적인 간음 행위를 하지 않더라도 마음속으로 음란한 생각을 품은 사람은 벌써 마음속으로 그 여자를 범했다는 예수의 말처럼, 나는 비록 칼을 들어 S의 심장을 찔러 살인의 죄를 저지르지 않았다고 하더라도 마음속으로 살의를 품고 있었으며 벌써 마음속으로는 살인죄를 범하였던 것이다.

부활절이 다가오면 모든 신자들은 고해 성사를 해야 할 의무가 있었으므로 한정된 숫자의 신부들은 자연 혹사를 하게 된다. 따라서 고백 성사는 그 시간이 짧아지고 형식적으로 진행되게 마련이므로 삽시간에 줄은 짧아지고 마침내 그의 차례가 다가왔다. 그는 자신의 뒤를 돌아보았다.

그의 뒤에는 아무도 기다리는 사람이 없었다. 그가 마지막 사람이었다. 그가 마지막 사람이라는 점에서 그는 우선 마음이 놓였다. 아무래도 고백해야 할 내용이 많았으므로 그는 뒤에 기다리고 있는 사람이 남아 있었더라면 자연 신경이 쓰여 해야 할 고백을 대충 끝내고 미진한 상태에서 쫓겨나듯이 끝낼 수밖에 없었을 것이다.

밤 미사가 끝났으므로 성당 안은 모든 불이 꺼져 있었다. 제대 뒤에 안치된 감실을 알리는 붉은 표지등만 켜져 있을 뿐이었다. 그 붉은 불빛이 벽면에 걸린 십자가에 매달린 예수의 모습을 핏빛으로 물들이고 있었다.

마침내 고백소에서 신자가 나오자 그는 문을 열고 안으로 들어갔다. 한 사람이 간신히 앉을 만큼 좁은 실내였다. 무릎을 꿇고 앉을 수 있도록 장궤 틀이 마련되어 있었으므로 그는 신발을 신은 채 무릎을 꿇었다. 그의 눈 높이로 신부와 대화를 나눌 수 있도록 뚫린 조그만 창구 하나가 정면으로 눈에 들어왔다. 서로 상대편의 얼굴은 볼 수 없고 오직 목소리만 들을 수 있도록 작은 구멍이 뚫린 일종의 스피커였다. 신부는 다른 칸에 들어간 신자와 대화를 나누고 있는지 뭐라고 웅얼거리는 목소리가 칸막이 저편에서 들려오고 있었다. 숨죽여 귀를 기울였지만 대화의 내용은 전혀 알 수 없었다.

그는 벽면에 붙여진 안내판을 보았다.

'고백 성사를 보는 절차'

일일이 고백소 안에 들어온 신자들에게 순서를 가르쳐줄 수 없었으므로 간단하게 성사를 보는 안내문이 그곳에 부착되어 있었다. 그는 그 내용을 읽어보았다.

'고백 성사를 보는 절차

✝성부와 성자와 성령의 이름으로 아멘.

고백 성사를 본지 몇 달째입니다, 라는 말에서부터 시작해서 자신의 죄를 고백한다.

(모든 죄를 고백한 뒤)

이 밖에 알아보지 못한 죄도 통회하오니 사해주시기 바라옵니다.

(신부의 사죄경 후)

감사합니다.'

그는 물끄러미 그 안내문을 바라보았다. 그의 마음은 팽팽하게 조인 바이올린의 줄처럼 긴장되어 떨리고 있었다. 일상적인 안내문 중에서 문장 하나가 그의 눈을 찔렀다.

'……이 밖에 알아내지 못한 죄도 통회하오니 사해주시기 바라옵니다.'

통회(痛悔). 깊이 뉘우침. 자신의 죄를 진심으로 뉘우치는 일. 죄를 범했다는 사실을 뉘우치고 슬퍼하는 것은 죄로 인해 하느님과의 관계가 깨어지고 불화되어 있기 때문에 이 관계를 회복하고 화해를 하려는 의지를 통회라고 부른다. 그러나 나는 과연 그러한가. 나는 지금 나의 죄를 통회하고 있는 것인가.

그때였다.

칸막이 저편에서 문을 열고 나가는 소리가 들려오더니 동시에 스피커를 통해 목소리가 흘러나왔다.

"고백하십시오."

그는 천천히 손을 들어 소리를 내며 성호를 그었다.

"성부와 성자와 성령의 이름으로 아멘."

그러자 갑자기 몸이 떨리기 시작하였다. 지금까지 한 번도 없던 일이었다. 몸과 함께 목소리도 떨려나오기 시작하였다.

"신 신부님. 고백 성사는 지난 부활절에 보았었습니다. 1년 만에 성사를 보게 되었습니다."

"말씀하십시오."

스피커를 통해 전혀 감정이 섞이지 않은 신부의 목소리가 들려왔다. 순간 그는 자신과 신부의 얼굴을 직접 맞대면하면서 개

별적으로 고백 성사를 하지 않은 사실에 대해 후회를 하였다. 고백 성사를 할 때면 모든 신자들은 자신의 정체가 신부에게 밝혀지지 않는다는 사실을 잘 알고 있으면서도 가능하면 목소리조차 숨기려 하는 것이다. 설혹 자신의 정체를 밝힌다 하더라도 사제의 특성상 절대로 고해 성사의 비밀이 공개되는 일이 없다는 사실을 잘 알고 있으면서도 사람들은 본능적으로 이를 감추려 하는 것이다. 고백소가 이처럼 상대방의 얼굴을 볼 수 없게 커튼으로 가려져 있는 것은 모두 이 때문인 것이다. 그러나 막상 스피커를 통해 신부의 목소리가 흘러나오자 그는 순간 신부와 자신의 얼굴 사이에 쳐진 커튼을 찢어버리고 싶은 충동을 느꼈다.

"신 신부님."

그는 떨리는 목소리로 입을 열었다.

"신 신부님, 저는 지금 한 사람을 증오하고 있습니다. 사람을 죽이고 싶은 살의를 품고 있습니다. 이 감정이 폭발하면 실제로 사람을 죽이게 될지도 모릅니다. 신부님 저는 오래전 대학생이었던 시절 저하고는 전혀 상관없는 학생 운동에 연루되어 정체를 알 수 없는 수사 기관에 끌려가서 20여 일 동안 온갖 고문을 당한 적이 있었습니다. 저는 그곳에서 고 고문과 폭 폭력을 당했습니다. 그 고문과 폭력의 상처로 저는 미래에 대한 희망을 잃어버렸으며 도전 의식을 상실해버렸습니다. 저는 시대의 희생자였으며 피 피해자였습니다. 그 그런데 신부님 사순절이 시작되는 첫날 바로 이 성당에서 저를 고문하였던 사람을 만나게 되었습니다."

그는 헐떡이고 있었다. 그는 순간 자신의 고백을 신부가 과연 듣고 있을까 하는 의구심이 들었다. 그는 스피커를 노려보았으나 그곳에는 작은 구멍만이 뚫려 있었을 뿐 그의 고백을 듣고 있는 사람의 얼굴도, 눈동자도 보이지 않았다. 그는 떨리는 목소리로 물었다.

"신부님 제 말을 듣고 계십니까?"

"듣고 있습니다."

여전히 감정이 섞이지 않은 목소리였다. 마치 미리 녹음된 목소리를 반복해서 들려주는 전화 교환원의 안내 목소리처럼.

"그 그 사람은 이 성당의 사목위원이었습니다. 신자들에게 성체를 분배하고 가슴에는 '그리스도 우리의 평화'라는 문구가 씌어진 띠를 두르고 있었습니다. 신 신부님 저를 고문하고 폭력을 가하고 내 육체와 영혼에 상처를 가한 그 사람이 이 성당에서 그리스도의 성체를 만지고 있는 것입니다. 어떻게 이런 일이 있는 것입니까. 신 신부님 저는 그를 죽이고 싶습니다. 주님의 이름으로 그를 단죄하고 싶습니다. 주님은 말씀하셨습니다. 감춘 것은 드러나게 마련이고 비밀은 알려지게 마련이다. 내가 어두운 데서 말하는 것을 너희는 밝은 데서 말하고 귀에 대고 속삭이는 말을 지붕 위에서 외쳐라. 신부님 저는 그 사람을 지붕 위에 올려놓고 자신의 죄를 온 세상을 향해 외쳐 고백하도록 만들고 싶습니다."

그의 온몸에서는 땀이 흘러내리기 시작하였다. 바람 한 점 새어 들어올 수 없을 만큼 좁은 밀실이었지만 더운 날씨는 아니었다. 그런데도 그는 땀을 뻘뻘 흘리면서 목소리를 높여 말하였다.

"신 신부님, 그 이후부터 저는 마음의 평화를 느낄 수 없습니다. 저는 그를 용서할 수 없습니다. 저는 그를 미워합니다. 미워할 뿐 아니라 증오하고 있습니다. 증오할 뿐 아니라 저주하고 있습니다."

"하지만."

깊은 침묵으로 고백 성사를 듣고 있던 신부가 스피커를 통해 그의 말을 받았다.

"주님께서는 이렇게 말씀하셨습니다. 원수를 사랑하고 너희를 박해한 사람을 위하여 기도하여라, 라고 말입니다. 일찍이 베드로 사도께서 주님께 주님, 제 형제가 저에게 잘못을 저지르면 몇 번이나 용서해주어야 합니까. 일곱 번이면 되겠습니까, 하고 물었을 때 주님께서는 다음과 같이 말씀하셨습니다. '일곱 번씩뿐 아니라 일곱 번씩 일흔 번이라도 용서하여라.' 형제님을 박해한 그 사람을 위하여 기도하십시오. 설혹 그 사람이 형제님의 원수라 할지라도 그를 용서하십시오. 그를 단죄할 수는 없습니다. 왜냐하면 단죄는 우리들의 몫이 아니라 하늘에 계신 하느님의 몫이기 때문입니다."

"신부님."

그는 칸막이 저편의 신부가 서둘러 고백 성사를 끝맺으려 한다는 느낌을 받았다. 그는 하고 싶은 말이 많이 남아 있었고, 아직 정리되지 않은 감정의 찌꺼기들이 고스란히 남아 있었으므로 빠르게 말하였다.

"그가 자신의 죄를 뉘우치고 있지 않은데 어떻게 제가 그를 용서할 수 있겠습니까. 어떻게 그 사람을 위해서 기도를 할 수 있겠습니까."

"주님께서는 말씀하셨습니다. 친히 가르쳐준 기도문에서 '우리가 우리에게 잘못한 일을 용서하듯이 우리의 잘못을 용서해달라'고 말입니다. 형제님에게 잘못한 그 사람을 용서하지 않는다면 하느님께서도 형제님의 잘못을 용서하지 않을 것입니다."

그는 신부가 고백 성사를 끝내려는 것을 알 수가 있었다. 하는 수 없이 그는 벽면에 붙여진 안내문이 가리키고 있는 대로 두 손을 모으고 말을 맺었다.

"신부님, 이 밖에 알아보지 못한 죄도 통회하오니 모두 사해주시기 바라옵니다."

아직 감정이 정리되지 않은 미진한 상태였지만 그가 고백 성사를 끝내자 칸막이 저편의 신부는 사죄경을 외우기 시작하였다. 그는 두 손을 모으고 눈을 감은 채 신부가 외우는 사죄경을 숨죽여 들었다.

"……우리 주 예수 그리스도께서 당신을 용서하기 바라며 나도 그분의 권한을 가지고 성부와 성자와 성신의 이름으로 당신의 죄를 사합니다. 아멘."

그는 신부를 따라서 아멘, 하고 대답하였다. 성호를 긋고 일어서는 그에게 신부는 다음과 같이 말하였다.

"루가복음 6장 27절에서 42절까지의 말씀을 묵상하시고, 부활절을 앞둔 성삼일에 참석하실 것을 보속으로 드리겠습니다. 그럼 형제님 안녕히 가십시오."

"신부님 감사합니다."

그는 우두커니 서 있었다. 밀실 저편에서 고백 성사를 끝낸 신부가 문을 열고 고백소를 빠져나가는 인기척이 들렸다. 그러나 그는 계속 우두커니 서 있었다. 그의 온몸은 비 오듯 흘러내리는 땀으로 흠뻑 젖어 있었다. 그는 마음의 기쁨을 느낄 수가 없었다. 그는 비록 고백 성사에 열심한 신자는 아니었지만 자신의 죄를 고백한 이후의 기쁨을 잘 알고 있었다. 마음속에 남아 있던 찌꺼기와 같은 죄를 고백하고 났을 때 마음은 하늘로 솟아오르는 연처럼 가볍게 떠오른다. 그러나 전혀 그런 기쁨도, 충일감도 느껴지지 않고 있었다. 그는 마치 물건을 저당 잡히러 갔다가 물건에 남아 있는 흠집을 트집 잡아 전당포 주인으로부터 거절당한 사람과 같은 느낌을 받고 있었다. 그는 쫓기듯 고백소를 빠져나왔다.

성당 안은 완전히 암전된 상태였다. 드문드문 남아서 기도를 바치고 있던 신자들도, 성당 벽면에 마련된 십사처를 하나씩 찾아다니면서 '십자가의 길'을 바치고 있던 모녀의 모습도 모두 사라져버리고 없었다. 그는 주머니에서 성사표를 꺼내들었다. 고백소 앞에는 성사를 끝낸 신자들이 의무적으로 제출하게 되어 있는 성사표의 집계통이 놓여 있었다. 그는 성사표를 무심코 그 통 속에 집어넣으려다가 멈칫거렸다.

내가 과연 고백 성사를 끝낸 것일까. 그는 마음의 회의를 느꼈다.

아니다. 내 고백 성사는 아직 끝나지 않았다. 내 고백 성사는 아직 미완성인 채로 중단되고 만 것뿐이다.

그는 통 속에 넣으려던 성사표를 그대로 주머니 속에 찔러넣었다. 그리고 성당을 빠져나왔다. 성당 앞 홀에는 신자들에게 나누어주던 주보들이 어지러이 널려 있었고 그 한편에는 신자들이 잃어버리고 간 분실물들이 따로 보관되어 있었다. 돋보기와 묵주 같은 물건들이 보관함에 놓여 있었고, 성경책도 몇 권 놓여 있었다. 그는 문득 보속으로 루가복음 6장 27절에서 42절까지를 묵상하라던 신부의 말을 떠올렸으므로 보관함에 비치되어 있던 성경책을 집어올려서 루가복음을 찾아보았다. 그 말씀은 다음과 같았다.

"그러나 이제 내 말을 듣는 사람들아, 잘 들어라. 너희는 원수를 사랑하여라. 너희를 미워하는 사람들에게 잘해주고 너희를 저주하는 사람들을 위해서 기도해주어라. 누가 뺨을 치거든 다른 뺨마저 돌려 대주고 누가 겉옷을 빼앗거든 속옷마저 내어주어라. 달라는 사람에게는 주고, 빼앗는 사람에게는 되받으려 하지 말라. 너희는 남에게서 바라는 대로 남에게 해주어라. 너희가 만일 자기를 사랑하는 사람만 사랑한다면 과연 칭찬받을 것이 무엇이겠느냐. 죄인들도 자기를 사랑하는 사람은 사랑한다. 너희가 만일 자기한테 잘해주는 사람한테만 잘해준다면 칭찬받을 것이 무엇이겠느냐. 죄인들도 그만큼은 한다. 너희가 만일 되받을 가망이 있는 사람에게만 꾸어준다면 칭찬받을 것이 무엇이겠느냐. 죄인들도 고스란히 되받을 것을 알면 서로 꾸어준다. 그러나 너희는 원수를 사랑하고, 남에게 좋은 일을 해주어라. 그리고 되받을 생각은 말고 꾸어주어라. 그러면 너희가 받을 상이 클 것이며 너희는 지극히 높으신 분의 자녀가 될 것이다. 그분은 은혜를 모르는 자들과 악한 자들에게도 인자하시다. 그러니 너희의 아버지께서 자비로운 것같이 너희도 자비로운 사람이 되어라."

그는 신부가 지정한 성경 구절을 계속 천천히 읽어내려갔다.

"남을 비판하지 말라. 그러면 너희도 비판받지 않을 것이다. 남을 단죄하지 말라. 그러면 너희도 단죄 받지 않을 것이다. 남을 용서하여라. 그러면 너희도 용서를 받을 것이다. 남에게 주어라. 그러면 너희도 받을 것이다. 말에다 누르고 흔들어 넘치도록 후하게 달아서 너희에게 안겨주실 것이다. 너희가 남에게 되어 주는 분량만큼 너희도 받을 것이다……"

그는 신부가 지정한 성경 구절을 천천히 모두 읽었다. 그는 신부가 왜 그 구절을 보속의 조건으로 읽고 묵상할 것을 명하였는지 그 이유를 알 수 있을 것 같았다. 신부는 하느님을 대신해서 그에게 성경의 말씀을 예시해준 것이었다.

그는 성당을 나와 큰길까지 걸어 내려갔다. 그는 마음이 우울하였다. 그는 자신에게 교묘하게 루가복음의 말씀을 인용함으로써 오히려 마음의 부담만 더욱 안겨준 신부가 순간적으로 미워졌다. 신부는 정답을 채점하는 심사위원과 같았다. 그는 신부에게 정답을 확인하기 위해서 찾아가 고백 성사를 한 것은 아니었다. 그도 성경 속에 씌어 있는 주님의 정답을 잘 알고 있었다. 원수를 사랑하고, 오히려 학대하는 자를 위해서 기도하라는 정답쯤은 그도 잘 알고 있었다. 그러나 그는 차라리 그런 정답을 재확인함으로써 불합격 선고를 받은 낙방생 같은 소외감을 느끼기보다 차라리 신부로부터 따뜻한 말 한마디의 위로를 받고 싶었던 것이다. 그는 그 누구로부터도 마음의 위안을 받을 수 없었다. 그는 자신이 온 세상으로부터 격리된 버림받은 고아처럼 느껴졌다.

큰길로 나아가는 어귀에 포장마차가 불을 밝히고 있었다. 그는 그 안으로 들어가 딱딱한 나무 의자에 앉았다. 안주 한 접시와 소주 한 병을 시켜서 그는 혼자서 마시기 시작하였다. 빈 잔에 스스로 술을 따라서 그는 세 잔을 연거푸 들이켰다.

"하늘에 계신 주님."

그는 소주를 단숨에 들이켜면서 속으로 중얼거려 말하였다.

"나는 원수를 사랑할 수 없습니다. 주님께서 원수를 사랑하라고 말씀하셨지만 저는 원수인 에스를 증오합니다. 주님께서는 학대하는 사람을 위해 기도하라고 말씀하셨지만 저는 에스를 저주합니다. 주님께서는 단죄하지 말라고 하셨지만 저는 에스를 단죄할 것입니다. 주님께서는 용서하여라, 그리해야만 너희도 용서받을 것이다, 고 말씀하셨지만 저는 에스를 용서할 수 없습니다."

그는 주머니에서 성사표를 꺼내들었다. 성사표에는 그의 이름이 적혀 있었다.

'최성규 베드로.'

그는 성사표를 찢기 시작하였다. 이번 사순절의 고백 성사는 하지 않을 것입니다. 악마 S를 용서할 수 없으므로 고백 성사는 하지 않았던 것으로 하겠습니다. 그는 성사표를 갈가리 찢은 후 미친 듯이 술을 마시기 시작하였다.

그는 술을 한 병 더 시켰다. 저녁을 먹지 않은 공복 상태였고, 안주도 제대로 먹지 않았으므로 금방 취기가 올랐다. 그는 새로 온 술병의 마개를 따고 다시 빈 잔에 술을 따라 마시면서 생각하였다.

고백소 안에서 신부는 그에게 말하였다.

"주님께서는 일곱 번씩뿐 아니라 일곱 번씩 일흔 번이라도 용서하라 하셨습니다. 형제님을 박해한 그 사람을 위해서 기도하십시오. 설혹 그 사람이 선생님의 원수라 할지라도 그를 용서하십시오. 그 사람을 용서하지 않는다면 하느님께서도 형제님의 잘못을 용서하지 않을 것입니다."

순간 그의 머리 속에는 며칠 전 장미카엘라 수녀가 보내준 『귀양의 애가』의 첫 페이지 여백 부분에 적힌 전문의 내용이 떠올랐다.

"✝찬미 예수님.

최성규 베드로오빠,

이 책을 통해 오빠가 '용서의 의미'를 배우셨으면 합니다.

장미카엘라 수녀로부터."

신부는 고백 성사 후에 그에게 루가복음 6장 27절에서 42절의 말씀을 묵상하고 그 말씀을 통해서 원수를 사랑하고 용서의 의미를 배우라는 전언을 보내왔다. 마찬가지로 장미카엘라 수녀는 그의 고백을 들은 후 '용서의 의미'를 배우라는 뜻으로 '서울여자가르멜수도원'에서 펴낸 책 한 권을 보내온 것이다.

그 책은 6·25 전쟁 중에 장님이었던 마리 마들렌 수녀가 직접 경험한 죽음의 행진을 적은 책이었다. 지난 며칠 동안 그는 계속해서 장미카엘라 수녀가 보내온 책을 읽고 있었다. 처참한 전쟁이 발발된 6월 25일부터 시작된 마들렌 수녀의 수기는 그녀들이 동경으로 피난 갈 수 있었지만 그대로 남아서 공산군에게 체포되고 그들로부터 잔인한 고문을 받는 장면이 이어지고 있었다.

수녀들은 질식할 것 같은 좁은 감방에서 '죽이시오. 죽입시다'는 선동의 고함 소리를 들으며 인민 재판을 받았으며, '수녀 한 사람씩 죽이시오. 먼저 심장을 찌르고 손가락과 코와 귀를 베어버리시오'라는 협박을 받는 장면을 생생하게 증언하고 있었다. 그 장면을 읽는 동안 그는 S로부터 당했던 끔찍스런 고문의 장면이 자연스럽게 떠오르고 있었다. 죽음에 대한 공포, 살해에 대한 위협, 무자비한 폭력, 끝 간 데를 모르는 물고문, 최소한의 인간성마저 짓밟는 권위, 인간을 짐승의 노예로 만드는 광기. 그러나 그가 S로부터 받은 고통은 수녀들이 공산군으로부터 받은 고통과는 근본적으로 다른 것이었다.

가르멜 수녀들이 당한 고문은 전쟁에서부터 비롯된 것이었다. 그때는 공산주의와 민주주의의 대리 전쟁이라는 이데올로기적 맹렬한 다툼이 있었지 않은가. 6백만 명 이상이 이 전쟁에서 목숨을 잃고 다치고, 이재민이 될 수밖에 없었다. 이런 비극 속에서 적으로부터 체포되고 고문당하고 인간 이하의 취급을 받는 것은 어쩌면 지극히 당연한 일이었을 것이다. 그러나 그는 어느 날 밤 느닷없이 들이닥친 정체 불명의 사람들로부터 체포되었다. 전쟁 중이 아니었음에도 불구하고 그는 알 수 없는 곳으로 끌려가 갇히고, 개처럼 구타당하고, 끔찍한 고문을 당했던 것이다. 그는 공산당원도 아니었고, 운동권 학생도 아니었다. 그는 신념을 위해서는 순교마저 각오하는 성직자도 아니었으며 다만 평범한 학생에 불과하였다.

전쟁이 아닌 평화 중에, 적군이 아닌 아군으로부터, 체제에 대해 저항하는 반체제도 아닌 비체제의 학생 신분으로 그는 체포당하고 갇히고, 한마디 변명할 여지도 없이 구타당하고 고문당하였던 것이다.

그러한 그에게 어째서 장미카엘라 수녀는 '용서의 의미를 배우라'는 뜻으로 『귀양의 애가』란 책을 보내준 것이었을까. 무엇을 용서하고, 어떻게 용서의 의미를 배우라는 것인가.

그날 밤 그는 술에 취해 집으로 돌아왔다. 술이 어느 정도 깬 새벽녘 문득 잠자리에서 일어난 그는 자신이 읽다 접어놓은 페이지를 펼쳐 다시 읽어보기 시작하였다. 『귀양의 애가』는 '평양으로 가는 지옥 열차'라는 소제목으로 '1950년 7월 19일부터 9월 5일까지의 기록'을 다음과 같이 증언하고 있다.

4

그들은 어느 역에서 우리를 내려놓고는 철로 옆에 앉아 있게 하였습니다. 어느새 아이들은 구경거리가 생겼다고 떠들며 떼를 지어 몰려왔습니다. 어른들도 구경하러 와서는 들여다보며 껄껄대고 웃는 것이었습니다. 파수병들은 우리를 착취자들이라고 큰 소리로 소개를 했습니다. 그들이 하는 대화 속에 이따금 러시아어가 섞여 있는 것으로 보아 소련의 영향을 받고 있었음을 알 수가 있었습니다. 잠시 후에 병정이 와서 남한의 지폐를 가진 사람은 북한의 지폐로 바꾸어야 과일을 살 수 있다고 알려주었습니다. 과일이라니, 나흘 동안의 무더운 감옥살이로 목이 마를 대로 말라 갈증에 시달리던 우리들에게 이 소리는 귀가 번쩍 뜨이는 소리였지요.

우리는 돈을 모아서 조금씩 갈라넣은 그 보따리를 가져오지 못하였으나, 멕틸드 수녀님만은 자신도 모르는 돈이 주머니에 들어 있었으므로 우리도 그 돈으로 과일을 살 수 있었습니다.

기차가 도착하자 짐승들을 싣는 찻간에 우리를 오르게 하였는데 그것이 어찌나 높은지 오르기에 아주 당황하였습니다. 바닥에는 지푸라기가 약간 깔려 있어 우리 일행만 탄다면 앉을 자리는 넉넉할 것 같았는데 무슨 까닭에서인지 한국 사람들을 많이 태우는 것이었습니다. 우리 일행의 자리를 좁게 해서 조금이라도 불편을 더 주려고 그러는지 아니면 감시하기 위해서인지는 알 수가 없었습니다. 그중 몇 명은 불어를 알고 있어 우리들의 행동을 살피려고 따라온 자들인 모양으로 자꾸만 말을 걸려고 하였습니다.

조금 있자니 정말 과일이 도착하였습니다. 공산주의가 어떤 것인지 몸소 배울 수 있는 기회를 처음으로 만났습니다. 즉, 과일 사건을 요약해보면 다음과 같습니다.

"우리 공산 국가에서는 뭐든 공평하게 하오. 돈을 내지 못한 사람도 낸 사람과 같이 함께 나누어 먹겠소" 하는 것이었습니다. 돈을 내서 사온 사람에게는 두 개씩 주고, 돈을 내지 않은 사람에게는 네 개씩 나누어줌으로써 이 나라의 공평한 법률을 우리들에게 이해시키려는 것이었습니다.

기차 안에는 병정들이 많이 타고 있었지만 우리들을 감시하기 위해서 한 사람만이 이 찻간에 있었습니다. 병정이라고는 하지만 기껏해야 열일곱이나 열여덟 살밖에 안 되어 보이는 앳된 소년들이었습니다. 어깨에 총을 메고 한구석에서 밤이 새도록 내내 '차려' 자세로 서 있어도 유럽의 코쟁이들을 발 아래 놓고 감독하는 재미는 고단함도 잊어버리게 하는 모양입니다.

신부님들은 그에게 이야기를 걸었습니다. 그는 솔직하게 말하였습니다.

"우리 북한에서는 같은 사상을 가진 사람들만 살 수 있지요. 다른 분자는 없애버리는 거요."

기차는 밤이 되어서야 떠났습니다. 몇 분 동안을 굴러가나 했더니 찻간은 탁 막히어 숨쉬기조차 어렵게 될 즈음 기관차의 뜨거운 증기가 찻간에 확 퍼졌습니다. 오랫동안 계속되지는 않았으나 우리들로 하여금 정신을 못 차리게 하려는 수작이었습니다. 몇 주일 전에 수도원 식당에서 공동 식사 때 소련에서는 '지옥 열차'를 개발하였다는 것을 어떤 잡지에서 읽은 적이 있습니다. 먼저 뜨거운 수증기를 보내고, 다음에 기차는 강도의 습격이나 폭격을 당한다거나 철도 탈선 등을 가장한다는 것을 필자가 덧붙이고 있었습니다. 우리들이 탄 찻간이 무슨 이유로 이렇게도 높이 달려 있는지를 우리는 이제야 알아차릴 수가 있었습니다. 우리가 탄 찻간 밑에는 그러한 기계 장치가 설비되어 있었습니다.

참으로 '지옥 열차'에 타는 수난의 명예를 가질 기회가 우리에게도 이른 것을 스스로 깨닫게 되었습니다.

정말 예기한 대로 연극의 막이 열렸습니다. 갑자기 총소리가 나더니 "도둑이야 도둑, 강도야 강도" 하고 소리를 지르며 무서워서 미친 듯이 도망가는 등 야단법석들이었습니다. 캄캄한 어둠 속이라 아무도 보는 이가 없으므로 우리는 미소를 띨 수 있었습니다. 병정들은 회중전등을 우리 얼굴에 다 비추는 것이었습니다. 우리들이 벌벌 떨고 있었으면 좋았을 텐데 누구 하나 공포심을 나타내지 않는 것을 보고 섭섭한 모양이었습니다.

이번에는 제2막으로 접어든 모양입니다. 사방에서 전투기들의 굉장한 폭음이 들리더니 폭격이 시작되어 빗발같이 폭탄이 떨어지는 것이었습니다. 실제 폭격 소리 못지않게 아주 요란하게 울렸습니다. 이미 잡지를 읽은 줄을 모르시는 방주교님께서 말씀하셨습니다.

"수녀님들! 이것은 우리를 놀라게 하기 위한 조작이니 무서워하지 마십시오."

우리는 안심하고 제3막을 기다릴 수 있었습니다.

이번에는 철도 탈선극입니다. 시간이 되었습니다. 우리는 미리 예상하고 있었지만 정말로 기차가 곤두서는 것 같아 순간 깜짝 놀라지 않을 수 없었고 불쾌하기 짝이 없었습니다. 기차는 잠시 동안 제대로 달리면서 우리에게 약간의 안도감을 주었습니다. 그러나 이것으로 연극이 끝나지는 않았습니다. 고요한 밤중에 서로 주고받는 말소리가 들렸습니다.

"조금 있으면 다리에 이르겠지."

"응, 몇 분 후에."

"모두 강에 빠지도록 준비되었소."

"예, 다 돼 있소."

기차는 여전히 달립니다. 강가에 이르렀다는 것을 강바람으로 알 수 있었습니다. 그들은 거듭 귀엣말을 하였습니다.

"정말 준비 다 됐소?"

"예, 기차를 정지시키시오."

기차는 천천히 다리 복판에 머물렀습니다. 그러나 아무도 강물에 빠진 사람은 없고 조금 있다가 기차는 다시 떠나고 말았습니다. 그들이 밤에 연출할 연극은 아직도 남아 있어 낮에는 쉬지 않고 그 준비를 하고 있었습니다.

바로 우리 옆에 죽일 장치를 해놓고는 총을 겨누고 말하였습니다.

"누구부터 시작할까. 구신부부터 죽일까."

이렇게 말해보았자 다만 우리들의 잠을 방해할 뿐이었습니다. 그날 밤은 다섯째 날 밤으로서 우리를 온전히 뜬눈으로 지새우게 하였습니다.

아침 요기 삼아 물병 바닥에 남아 있는 몇 방울의 물로 목을 좀 축일 수 있었습니다. 그러자 그들은 흉을 보며 말하였습니다.

"임자들만 마시고 다른 동행자들에게는 주지 않고, 부끄럽지도 않소."

우리와 같이 감옥살이를 하는 아일랜드 신부 한 분은 가져온 가루우유를 조금 타서 가르멜 수녀들에게 기운을 차리게 해주기 위해서 한 잔 가득 부어서 우리들에게 보내주셨습니다. 우유잔이 우리에게까지 전달되려면 우리를 흉보던 그 자를 거쳐야만 올 수 있도록 자리가 되어 있었습니다. 그런데 그는 두말할 것도 없다는 듯이 받아서 꿀꺽꿀꺽 마셔버리는 것이었습니다. 그러나 '설마 이번에야' 하고 다시 한 잔 가득히 부어 보내주셨습니다. 그야말로 공산주의의 인간 도덕을 따라 둘째 잔도 그의 위장 속으로 들어가버렸습니다.

그러나 인민군 선생님들은 그들의 공산주의를 우리가 수긍하고 인정해주도록 마음을 쓰는 모양이었습니다. 젊은 간호사가 와서 종기에 약을 발라주는 등 위해주는 척하는 것이었습니다.

기차는 사리원 역에 정거하였습니다. 많은 사람들이 우리들이 탄 찻간으로 올라왔습니다. 우리들에게 금지되어 있던 그 자리는 말할 것도 없이 이 사람들을 위하여 비워두었던 것입니다. 그들은 차례차례로 우리를 설교하기 시작하였습니다. 연사는 변변치도 못한 구변으로 그래도 의기양양하고 공공연하게 떠들고 있었지만 거기에는 아무런 내용도 발견할 수 없었습니다. 귀를 막을 수도 없으니 참으로 인내가 필요하였습니다. 그런데 이야기가 우리들에게 미치자 좋은 자료나 된다는 듯이 더욱 큰 소리로 말했습니다.

"이 여인들은 노동도 하지 않고 담 안에서 풍요하고 안락한 생활을 하며 사회를 위해서는 기생충과 같은 존재들이오. 이 남자들(신부들)은 공산주의를 파괴하려는 사상을 선전하는 자들이오."

주먹밥을 받으러 내려오라기에 가보니 우리를 쳐다보며 "너희들은 없애버릴 것들이야" 하더니 이어서 "오늘 저녁에는 주먹밥을 조그맣게 해야지" 하는 것이었습니다. 역에서 좀 떨어진 곳에 우리를 앉혀놓더니 마른 생선 부스러기를 주먹밥에 조금 끼워서 돌려주었습니다.

찻간에서 몸이 꼭 낀 채로 옴짝달싹을 못하고 있다가 땅바닥이지만 몸을 쭉 펴고 시원한 공기를 마실 수 있으니 좀 살 것만 같았습니다. 덥기는 한이 없었지만. 감시병들은 무슨 일들인지 바쁘게 왔다 갔다 하며 쉴 줄도 모르는 모양입니다. 그러면서 공공연하게 빨리 총살할 적당한 자리를 마련해야겠다고 떠들어대는 것이었습니다. 6시경, 웬일인지 총살장에는 안 보내고 세수하고 오라는 명령을 내리기에 우리는 한동안 귀를 의심하였습니다.

세수라니, 참으로 우리의 얼굴이 얼마나 더러워졌는지 모릅니다. 정말 세수를 하고 싶었습니다. 공동 우물에 가니까 어느새 사람들은 큰 구경거리가 생겼다는 듯 모여들었습니다. 옷을 좀 벗고 더러워질 대로 더러워진 몸을 씻고 싶었으나 이렇게도 많은 사람들이 모여드니 어찌해야 좋겠습니까. 그러나 다음에 세수할 기회를 기다리자면 그때까지 또 몇 주일을 참고 견디어야 할지 모를 일이므로 하는 수 없이 수건을 벗고 머리와 목을 씻었습니다. 이 좋은(?) 꼴을 보겠다고 또 사진을 찍고 야단법석들이었습니다. 그들은 우리들에게(가르멜 수녀들은 머리를 삭발한다) 정신적인 고통과 공포심으로 심적 타격을 주려 하였으나 아무도 눈 하나 깜짝 안 하니 오히려 자기들의 흉계가 완전히 실패로 돌아간 것을 깨닫고는 분통이 터지는 듯 지글지글 끓어오르는 상기된 얼굴 모양이었습니다.

이윽고 밤이 되었습니다. 항상 주먹밥만, 그나마도 오늘 저녁에는 죽을 사람들이라고 식사 준비도 하지 않아서 얻어먹지도 못하였습니다. 기차에 다시 오르게 하였습니다. 그런데 기차가 도무지 떠나지를 않는 것이었습니다. 무슨 일일까요, 이는 우리를 괴롭힐 조작을 다시 하기 위해서 그랬던 것입니다. 그들은 우리의 서원문을 조롱하며 흉얼대는 것이었습니다. 봉헌된 영혼의 순결함이 지옥에서는 미움을 당하는 법입니다. 그들은 정덕(淨德)을 반대하며 이를 갈고 있었습니다. 증오심으로 불이 활활 타오른 그들은 자기네들끼리 노닥거리며 별별 흉측하고 추잡한 말을 지껄여댔습니다. 차마 이 책에다 글로써 표현할 수가 없습니다. 공산당원이 우리 한국 수녀로 가장하고 서원문을 외고 나서는 국가를 위해서는 서원이고 무엇이고 다 필요 없다는 둥, 다른 당원이 강권을 발동하여 설복시키니까 마침내 정조를 깨뜨리고 마는 것같이 꾸민 연극, 그들의 야비한 상상, 마귀가 영혼 안에 침범하여 들어오기에 서원이란 큰 장벽이요 또한 성덕으로 이끄는 것임을 잘 알고 있는 사탄은 이렇게 둔갑하여 발악하고 악행을 서슴없이 행하는 것입니다. 한국어를 잘 알고 있는 두 수녀는 이들이 주고받는 수작에 이렇게 말하였습니다.

"아, 아, 차라리 한국 말을 몰랐더라면."

당원의 우두머리는 우리들 옆으로 부하 다섯 명을 부르더니 가르멜 수녀들의 정결을 빼앗는 방법을 자세히 설명하고 명령하고 나갔습니다. 이 설명을 들은 당원 다섯은 음흉한 웃음을 띠며, 정거장에 하차했다가 다시 와서 실행한다고 하며 사라졌습니다. 그러나 곧 기차는 출발했습니다. 우리가 평양에 도착한 것은 7월 21일 아침 7시였습니다. 즉시 재판소로 인도되었는데 어떤 사람들은 우리 모습을 보고는 측은히 여기는 표정이 역력히 눈에 띄었습니다.

큰방으로 들어가 초등학생용 작은 의자에 앉아 하루 종일을 보냈습니다. 움직이지도 말고 밖으로 나가지도 말라고 엄중히 명하므로 모두들 묵묵히 앉아 자기 생각에 잠겨 있었습니다. 수녀 한 분은 작년 오늘 가르멜 수도원에서 즐겁게 노래를 부르며 당신의 본명 축일을 축하해준 것을 추억하며 "지금 내 딸들은 어디 있을까? 어떻게 되었을까?" 하며 마음속으로 몇 번이고 혼자 되뇌어보는 것이었습니다.

그들의 버릇대로 또 취조가 시작되었습니다. 10시와 5시에 두 끼, 양재기에 제법 밥 한 그릇씩하고 고깃국을 끓여다 주었습니다. 이날 큰 폭격이 두 번 있었습니다. 밤 10시경 트럭에 태우더니 어디로 가는지 데리고 갔습니다. 헌 트럭인 데다가 식량을 잔뜩 실었으므로 손발 하나 움직이지 못하게 찍어누르는 듯이 덜커덩대며 가는 것이었습니다.

밤 11시쯤 어떤 벌판 논두렁 옆에 트럭을 세우더니 다들 내려서 걸어가라는 것이었습니다. 그믐밤인지 달빛도 없이 캄캄한 어둠 속에서 좁은 길을 걸어가자니 몸이 휘청거려 매우 어려웠습니다. 논에는 물이 가득 차 있어 질퍽질퍽한 좁은 논두렁길을 허둥지둥 걸어가다가 첨벙 하는 소리에 놀라보니 한 수녀가 논에 빠졌습니다. 몸을 온통 적시고 앞사람이 붙들어주어 겨우 논두렁에 올라왔으나 신발 한 짝이 벗겨져 달아나버렸습니다. 그렇지만 그걸 찾을 겨를조차 없이 또 허우적대며 맨발로 따라가야 했습니다. 그렇게 하여 몇 킬로미터인지 얼마 동안을 걸어가다가 꽤 넓은 곳에 이르렀습니다. 일행은 오늘 밤은 그만 가자고 간청을 하였으나 아무 소용이 없었습니다. 미끄럽고 질퍽질퍽한 길을 휘청거리며 계속 가야만 했었습니다.

멀리서 반짝반짝 불빛이 보였습니다. 목적하는 곳에 이르니 우리들에게 기운을 북돋워주기 위해서인지 한바탕 긴 연설을 하는 것이었습니다. 매우 중대한 이야기인 듯하였으나 너무나 고단하고 기진맥진한 우리에게는 아무것도 귀에 들려오는 것이 없었습니다. 그러고 난 뒤에 다 해지고 아주 더러운 홑이불이, 그나마 운이 좋은 사람에게는 떨어진 담요도 한 장씩 분배되었습니다. 백 미터쯤 떨어진 곳에 몹시 헐고 낡은 채 내버려진 건물 같은 곳으로 우리는 인도되었습니다. 한쪽 건물로는 여자들이 들어가고, 다른 편으로는 남자들만 들어가게 하는 것이었습니다. 그때 시간은 밤중인 새벽 2시경이었습니다. 옆방에서 남자 목소리가 쑤군쑤군 들려오므로 한 수녀가 매우 언짢아하였으나, 그까짓 것 내일 아침에 알아보기로 하고 어서 눈을 좀 붙이기로 하였습니다.

우리는 마룻바닥에 누운 채 곯아떨어지고 말았습니다. 아침에 일어나보니 마당에는 세숫물이 항아리에 가득 차 있고 그 옆에는 세숫대야가 세 개나 준비되어 있어 차례차례로 세수를 할 수 있었습니다. 며칠 후에는 비누 조각과 또 칫솔과 치약 배급이 있었습니다. 프랑스 공사는 그가 가졌던 큼직한 세수 수건 한 장을 우리 가르멜 수녀들에게 주었으므로 우리는 그것을 다섯 조각으로 나누어 각자가 이때부터 세수 수건을 하나씩 가질 수 있게 되었습니다.

서울에서의 감옥 생활에 비하면 그야말로 상팔자가 되었습니다. 그러나 좋아할 것도 못 되는 것은, 밤이나 낮이나 감시병이 마루 쪽 창문으로 들여다보며 지키고 있기 때문입니다.

〔……〕

아침 기상은, 병정들이 군가를 부르며 세수하러 갈 때 우리들도 일어나게 되어 있었습니다. 6시에 남자 측이 세수를 하고 나면 다음에는 우리 여자들 차례입니다. 식사는 하루에 세 끼 주먹밥 하나에다 양재기에 무 조각 한두 쪽이 둥둥 뜨는 국을 한 그릇씩 주었는데, 시간은 불규칙해서 점심을 3시에도 주고 저녁은 9시에도 주었습니다. 하지만 고맙게도 설익은 밥은 주지 않았습니다. 그러나 남자들은 양이 너무나도 부족하여 아주 견디기 어려워하는 모습이 가슴 아팠지만 어떻게 해볼 도리가 없었습니다. 하루는 부엌에서 밥을 짓는 사람과 감시병의 다투는 소리가 들려왔습니다.

"이 사람들이 이렇게 조금씩 먹고서야 어떻게 살겠소. 조금 더 주지 않으면 나는 이런 딱한 꼴을 차마 못 보겠으니 그만두겠소."

마음씨 착한 그는 끝내 떠나가버렸습니다. 그러나 밥은 여전히 작은 주먹밥 하나일 뿐 더 주지는 않았습니다.

사령관이라고 부르는 양반이 방문하던 날 하루는 밥도 넉넉히 주고 감자국도 아주 맛있게 끓여주었습니다. 그러나, 그 이튿날부터는 전과 다름없이 또 부족한 양이 되었습니다.

절대로 방 밖으로는 나가지 못하게 하기 때문에 변소에 가기 위해서도 허가가 필요했습니다. 벨리데타 수녀만은 꾀를 내어 잠깐씩 나가 마당에 있는 나물을 뜯어다가 맛나게 요리하여주었습니다.

다시 새 사람이 이 방에 오게 되었습니다. 먼저 성바오로회의 베아트릭스 원장 수녀님과 으제니 수녀를 다시 만나게 되어 반가웠습니다. 그리고 그후에 성공회 수녀원 원장 마리 글라라 수녀님과 마텔 부인과 프랑스 공사의 비서의 모친과 그의 따님이 들어왔습니다.

마텔 부인은 오실 때 가져온 실, 바늘 등 모든 보물(이곳에서는 그야말로 보물입니다) 보자기를 풀어헤쳐서 수용소 사람들에게 나누어주었으므로 모두들 감격하여 마텔 어머님이라고 부르게 되었습니다. 조금 꿰맬 것이 생겨도 도구란 아무것도 없었으므로 헌 담요 포대기에서 실을 뽑아 가지고 마지막 한 올까지 알뜰하게들 썼었습니다.

우리는 생활을 규칙적으로 하기로 정했습니다. 묵상, 휴식, 성무일도의 순서로. 성무일도는 성영을 아는 것만 송하고 대부분 주의 기도로 대송하였습니다. 방 안에서 기구하면서 걷기도 하였습니다. 감시자들은 아무 방해도 하지 않을뿐더러 미국 프로테스탄트 선교사들에게 가서 빈정거리며 말하였습니다.

"수녀들은 항상 기도하는데, 당신네들은 선교사라 하면서 기도도 하지 않고 머리도 깎지 않고 그냥 있소?"

우리들은 성가를 불렀는데 특별히 주일 아침에는 미사 노래를 하도록 하고 오후에는 서울 우리 성당의 감실로, 온 마음과 영혼을 한결같이 집중시켜 성체 강복의 노래를 불렀습니다. 성공회 수녀님은 자기가 가장 좋아하는 십자가의 성 요한의 『영혼의 노래』 책을 품에 넣어 가지고 왔습니다. 우리 강복식에 이 수녀님을 모셨는데 매우 감격해하는 것이었습니다. 어느 주일에 공신부님께서 오셔서 사죄경을 천천히 보내주셨습니다. 우리들은 할 수 있는 대로 서로서로 기쁨과 용맹을 주고자 노력하였습니다. 성공회 수녀원 원장 수녀님의 본명 축일인 8월 12일, 성녀 글라라 첨례에는 수녀들이 다정스러이 모여 축가를 불러드리고 다른 재미있는 동요도 부르며 마당에 피어난 작은 들꽃들을 꺾어다가 꽃다발을 만들어드렸습니다. 이 자그마한 마음의 선물을 그는 진정으로 감사와 기쁨 속에 받아주었습니다.

매년 8월 15일 수도원에서는 감사에 넘치는 마음으로 우리 한국 수녀들과 더불어 마리 멕틸드 수녀님의 영명 축일을 항상 축하해왔습니다. 수용소 생활 중에서 첨례를 마음껏 축하해드리고자 마당의 나팔꽃을 꺾어다가 꽃다발을 만들어드리고 축가를 부르며 모두 다 눈물을 흘렸습니다. 이것을 본 감시병들은 적잖이 놀라는 표정이었습니다. 그 다음 며칠 후에 베아트릭스 원장님 첨례를 축하해드리고자 노래하는 것을 허가 받으려 했을 때, 그들은 말하였습니다.

"울지 않을 것을 조건으로 허가합니다. 왜 성가를 부를 때마다 당신들은 눈물을 흘립니까?"

이렇게 하여 하루하루가 흘러가고 있었습니다. 마텔 부인은 우리들에게 영어를 가르쳐주기로 하였고, 벨리데타 수녀는 설거지를 도와주는 승낙을 받았습니다. 건강을 위해서였습니다. 부엌에서 일하고 있는 젊은 아가씨는 우리들에게 음식을 분배해줄 때마다 말할 수 없이 고운 미소를 띠고 있었습니다. 어느 날 우리 벨리데타 수녀와 둘이만 있을 때, 자기 저고리 속에 달고 있는 작은 고상을 보여주며 말하였습니다.

"저는 교우입니다. 영명은 요안나입니다."

또 이런 일도 있었습니다. 설거지를 하고 있는데 병정 하나가 유리창 가까이 와서 양재기를 내려놓으며, 작은 목소리로 말하였습니다.

"저는 교우입니다. 기구하여주십시오."

그는 가슴에 십자 성호를 표시하더니 재빨리 달아나버렸습니다.

취조 내용은 언제나 앵무새처럼 되풀이되었습니다. 그들은 또 본인의 사정만이 아니라 막둥이, 작은조카 사촌까지 조사하는 버릇을 그칠 줄 몰랐습니다. 하얀 종이에 공백이 없을 정도로 새까맣게 써가며 귀찮을 정도로 취조를 당하던 프랑스 공사는, 지루하기도 하고 좀 골려도 주고 싶은 생각이 들던 차에 또 취조를 당하게 되자, 아주 의젓하게 고상한 자태로 말하였습니다.

"우리 아주머니는 자전거에서 그림 그리는 화가요. 두 필 마차에서 결혼한 분이에요."

"미안합니다. 지금 그건 또 무슨 말씀입니까?"

심문하던 자가 어리둥절하여 반문하는 바람에 모두 허리를 쥐고 웃어대지 않을 수 없었습니다.

영국인 기자 딘이라는 사람은 남한에 주둔하고 있는 유엔군을 취재하기 위하여 왔던 분입니다. 이 기자는 7월 10일에 체포되었는데 그가 당한 고문 이야기를 들을 때는 떨지 않을 수 없었습니다. 그러나 그의 시련은 아직도 끝나지 않아서 서울과 평양에서 미국의 악행을 라디오로 방송하라고 강박을 당하였습니다. 일주일 간 단식을 강요받아 일어설 수조차 없을 정도로 기력이 쇠진하였어도 그는 용감하고 꾸준히 항거해나갔습니다. 그의 정신력과 기력은 초인간적인 것 같았습니다.

"네가 얼마나 고집을 부리며 견디어내나 어디 두고 보자. 우리도 방법이 있으니."

더욱 기가 성한 공산당들은 벼르더니, 수요일 즉 8월 3일에는 어떤 감옥으로 끌고 가 그 방을 밀봉하여 캄캄한 암실처럼 만들고 공기가 통하지 않도록 하여 곧 질식하게끔 답답하게 해 놓았습니다. 창이란 창은 모두 가리고 그의 얼굴 정면으로 눈을 뜰 수 없을 정도로 강한 전깃불을 비추며, 쉴새없이 무엇인가 지껄여대는 것이었습니다. 그러나 딘은 아무 자백도 하지 않았습니다.

"라디오로 네가 살아 있다는 것을 방송해서 네 부인에게 알리게 하면 좋지 않겠나. 방송만 하면 후대하겠어. 우리는 야만인은 아니잖은가. 문명인이 아닌가. 네가 기자인 것을 무엇으로 우리에게 증명할 수 있는가. 스파이인지도 모르지 않는가. 만일 방송하기 어려우면, 기자니까 미국에 대하여 쓰면 어떤가. 네가 만일 쓸 줄 모른다면 분명히 스파이지. 스파이는 어떻게 처리하는지 알고 있나."

딘 기자는 캄캄하게 가린 유리창의 작은 틈에서 햇빛이 들어오는 것을 보고 목요일 아침이라는 것을 알았습니다. 고문은 계속되었습니다. 고문을 가하는 자는 교대하지만 당하는 사람으로서는 혼자요 또 꼼짝을 못하게 할 뿐 아니라 실내 공기는 질식할 것 같고 강한 불빛은 눈을 잠시도 쉬게 해주지 않으니 얼마나 견디기 어려운 노릇이었겠습니까. 그는 결코 항복하지 않기 위해서 15분씩 15분씩 참기로 하였습니다. '15분 남았다' 또다시 '15분 남았다. 정신을 차리자' 이렇게 해서 금요일을 넘기고 토요일도 넘겨 사흘 밤낮을 항거하던 나머지 마침내 정신을 잃고 쓰러져버렸습니다. 다시 정신이 돌아왔을 때, 그는 아주 푹신한 침대에 누워 있는 자신을 발견하였습니다. 그 옆에는 북한 공산군 사령관이 서 있었습니다.

"지금 영국의 모든 신문에 당신의 체포 소식이 나 있소. 당신은 유명한 기자인가 본데, 흥, 우리가 당신을 회복케 하겠소" 하며 계란과 커피와 술 등을 먹이는 것이었습니다. 육신의 기력을 회복한 그는 정신의 무장도 더욱 강하게 하였습니다.

딘 기자는 라디오가 두 대나 그냥 버려져 있는 것을 보고 혹시 혼자 있을 기회가 생기면 그중 좀 나은 것을 가지고 빨리 다이얼을 맞추어서 도쿄 방송을 듣기로 하였습니다. 마침 미국 폭격기가 이곳까지 와서 폭격을 시작하므로 공산군들은 모두 다 방공호로 달아나버렸습니다. 혼자 내버려진 틈을 타서 마음놓고 방송을 다 듣고는, 그들이 돌아올 무렵에 재빨리 먼저 있던 대로 돌려놓아 두었습니다. 딘 기자가 우리 수용소로 돌아왔을 때는 우리들에게 설탕을 선물로 가지고 와서 똑같이 분배해주었으며 그것보다도 굉장한 뉴스를 얻어 가지고 왔습니다. 아직 대구는 빼앗기지 않았다는 것과 유엔군은 조심스럽게 쳐올라올 것을 준비하고 있다는 소식이었습니다. 아무 소식도 못 듣고 땅속의 두더지처럼 캄캄한 밤중에 있던 우리에게 이 소식은 한줄기 빛을 주었습니다. 9월 5일 저녁에 갑자기 출발 명령이 내려 모두들 재빨리 자기 짐을 꾸렸습니다.

평양까지 우리를 싣고 갈 트럭 두 대가 왔습니다. 타고 가던 도중에 서울서 장사를 하던 터키인 부부와 아이들 여섯 명, 그의 숙부 숙모, 또 백계 러시아인 부부와 세 아이가 올라탔습니다. 우리는 짐승을 싣는 우리 틈에 꼭 끼어 옴짝달싹 못한 채 짓눌려 있어야 했습니다. 미군 포로 750명은 지붕 없는 석탄 싣는 열차에 실려갔습니다. 대부분이 여름 옷을 입은 채요 맨발이었습니다. 그들은 찢어지고 형편없이 더러워진 옷이나 검정투성이가 된 얼굴에는 무관심한 것 같았습니다. 우울하고 기운이 없어 보이는 그들의 모습.

우리는 어디로 실려가는지 몰랐습니다. 폭격 때문에 몇 시간씩 머물러 있다가 다시 갔습니다. 기차가 폭격으로 인해 많이 파괴되었으므로 우리를 태우고 가던 트럭은 가끔 군수품 운반이 필요할 때에는 우리를 그냥 철도 옆에 버려두고 출장을 갔다 옵니다. 이튿날 밤에는 그 자리에 그냥 내버려둔 채 다음날 아침까지 안 돌아오므로 꼼짝 못하고 밤을 새웠습니다. 아침 7시에 우리는 역에서 걷기 시작하여 가까운 언덕에 올라가 신선한 공기를 마음껏 들이쉬며 좀 쉴 수가 있었습니다. 우리가 내린 그 동네 사람들은 8백 명이나 되는 외국 사람들에게 주먹밥을 만들어 나눠주었는데 아침식사는 오후 2시요, 저녁은 곧 따라 나오는 등 두서가 없었습니다.

9월 6일

미군 포로들은 우리 맞은편 3백 미터가량 떨어진 곳에 있었습니다. 그런데 그중 한 사람의 임종이 시작되었습니다.

"나는 천주교 신자요. 신부가 가까이 계시면 내 임종을 도와주시도록 좀 불러주시오."

헐떡이며 청하니 그쪽의 감시병은 허가하였으나 우리 편의 감시병은 거절하는 바람에 할 수 없이 구주교님께서는 그 큰 키를 발돋움하시고 큰 목소리로 사죄경을 보내셨습니다. 얼마 후 그의 시체가 우리 앞을 지나갔습니다. 그러고 나서 조금 후에 또 한 사람의 임종이 있었습니다. 감시병 대장은 묘지 축성을 허가하였습니다.

마텔 부인은 가지고 온 성수를 재빠르게 뿌리고 우리들은 산에 올라가 꽃을 꺾어 다발을 만들어주었습니다. 구주교님께서는 눈물을 흘리시며 기도해주셨습니다. 장차 이 소식을 알게 될 그의 가족들의 마음은 어떠하겠습니까.

우리 옆에 있는 약 20명가량 되는 미군 포로의 가련한 모습은 정말 불쌍하기 짝이 없었지만 우린들 어떻게 해볼 도리가 없었습니다. 어떤 군인은 팔이 없고 어떤 이는 다리가 없었으며 또 어떤 이는 양쪽에서 부축해야만 걸을 수 있었습니다. 그들과 더불어 이야기하는 것은 금지되었지만 그 비참한 모습을 우리 눈으로 똑똑히 볼 때 그들의 슬픔이 우리 마음을 사뭇 꿰뚫는 것이었습니다. 그들이 재생할 수 있도록 지금 당장 치료를 해주지 않으면 안 되겠는데, 다만 죽을 날만을 기다리고 있다는 사실이 애통할 따름이었습니다. 이 죽음을 감시병도 불쌍히 여겼던지 그들에게 담배를 좀 나누어주자 그들은 희미한 미소를 띠는 것이었습니다.

한국의 청아한 가을이 시작되어 자연은 아름다운 가을 옷으로 단장하기 시작했습니다. 우리 앞에 전개되고 있는, 가슴이 미어지는 듯한 참혹한 광경과는 너무나 대조적이었습니다.

만포에 이르기 전 9월 10일, 요새 지구로 되어 있는 어떤 마을에 이르렀습니다. 이날을 넘기기 위해 이곳에 있는 한 초등학교로 끌고 가는데 어른 아이 할 것 없이 많은 군중이 구경거리가 생겼다는 듯 줄줄 따라오는 것이었습니다. 이 군중 가운데 천주교 신자 한 사람이 신부님의 수단을 보고는 반가움과 기쁨에 떨며 학교 운동장까지 와서 신부님께 접근하고자 빙빙 돌고 있다가 마침내 기회를 잡아 가까이 오더니 은밀히 말했습니다.

"저는 천주교 신자입니다. 본명은 요한입니다. 이 동네에 열다섯 명의 신자가 살고 있습니다."

우리는 물어보았습니다.

"지내기가 무척 어렵지요?"

"그렇지도 않습니다. 주일마다 어떤 주일에는 이 집에서 또 다른 주일에는 저 집에서, 이렇게 모여서 기도를 드리고 있습니다. 3년 전부터 신부님이 안 계시므로 고해 성사를 못 보았는데 제가 가서 신자들을 불러 가지고 이리로 오면, 성사를 볼 수 있겠습니까?"

방주교님께서 대답하셨습니다.

"열다섯 명이나 불러 가지고 온다면 당신들에게 너무 위험합니다. 그렇게는 할 수 없으니 저녁에 역 앞을 지나갈 때 그곳에 모두 모여서 마음으로 통회하시면 내가 사죄경을 보내드리겠습니다."

그날 저녁 우리는 경건한 마음으로 기다리고 있는 그들을 만날 수 있었습니다. 어린아이, 남녀노소, 노인 한 분은 위험도 생각지 않고 크게 십자 성호를 열심히 그었습니다. 우리들 하느님 자녀들의 영혼의 결합을 그 누가 무슨 힘으로 감히 방해할 수 있었겠습니까.

엿새 동안을 낮에는 도보로, 밤에는 불편한 기차로 여행을 한 후 만포진에 닿은 것은 9월 11일 월요일이었습니다. 시가는 아름답고 기차역의 건물도 그럴듯했으나, 훗날 우리들이 자유를 얻어서 돌아올 때는 아무것도 남아 있지 않았습니다. 트럭 두 대가 와서 우리 일행을 싣고 어떤 가난한 집으로 데려갔습니다. 이것이 우리의 수용소인 것입니다.

만포에 머무른 것은 11일부터 다음 달 8일까지였지만 그것은 가장 좋은 추억을 우리에게 남겨주었습니다. 우리 수용소는 아주 가련한 상태였지만 그래도 같은 종교, 같은 국적, 같은 민족대로 구별하여 한 방에서 지낼 수 있게 해주었습니다. 우리 방은 가르멜 수녀 다섯 명과 성바오로회 수녀 두 분, 마텔 부인과 그의 따님 도합 아홉 사람이었는데, 고요히 기도할 수도 있었습니다.

주일 아침에는 방주교님과 구주교님을 비롯하여 모두들 우리 방에 모여서 성가를 부르고 묵주의 기도를 통경하였습니다.

그 무렵 밤에는 벌써 매우 쌀쌀해졌으나 낮에는 제법 따뜻하여 햇볕에 나가 앉아 이를 잡는 꼴은 가관이 아닐 수 없었습니다.

음식 공급은 그런대로 괜찮아 하루 세 끼에 배춧국과 명태, 때로는 고기며 설탕도 주었기 때문에 지내기에 큰 고통은 없었습니다.

수중에 돈이 있는 이들에게는 시장에 나가 물건을 구입할 수 있도록 허락을 하므로, 프랑스 공사는 가지고 온 짐에서 옷이며 약이며 시계 등을 팔아 가지고 우리들에게 술과 계란을 사주셨습니다.

우리 수용소에서 약 20분쯤 걸어가면 압록강이 유유히 흐르고 있었습니다. 감시병은 매일 이곳으로 데리고 가므로 우리는 강 건너 만주 땅을 바라다보면서 세수도 하고 빨래도 하며 산책도 하였습니다. 하루는 멕틸드 수녀님께서 강가에 나가셨다가

심한 강바람으로 그만 폐렴을 앓게 되어 우리들의 걱정은 태산 같았습니다. 미군 포로도 약 50명이 폐렴에 걸리고 말았으나 약이 없어 죽어가는 이들을 대하자니 차마 눈뜨고 볼 수가 없었습니다.

우리는 서로 사랑하는 어머님(멕틸드 수녀님)의 생명을 구해 보고자 무척 애를 써보았습니다. 자리는 딱딱한 마룻바닥이라 조금이라도 덜 배기게 해드릴까 하여 옷을 벗어 모아 깔아드리기도 해보았으나 별로 시원치도 못했고, 한국 의사가 주사를 한 번 놓기는 하였으나 별 효과가 없었습니다. 좀 기운을 돌리게 해드리려고 미군 포로 하나가 자기가 가져온 통조림 고기를 조금 주므로 국을 끓여드렸습니다. 영국 성공회 글라라 수녀님은 당신이 가져온 차와 커피와 그의 먹을 것을 주셨습니다. 벨리데타 수녀는 구미를 돋우어드리고자 있는 솜씨를 다하여 음식을 장만해드렸습니다.

데레사 원장 수녀님께서는 그의 옆에 붙어 앉아서 정성껏 간호한 보람이 있어 차차 병의 차도가 있기는 하였지만 장시간 휴양이 필요했습니다. 열심한 영혼일수록 규칙을 관면하여 쉬는 생활은 희생이 되는 것이므로 착하신 하느님께서는 이것 때문인지 몇 개월 후에는 그를 당신의 품으로 영원히 불러가셨습니다.

수용소의 남자 측에서는 매일 물을 길어 나르는 근로 봉사대의 일을 재미있게 하였습니다. 먼 곳까지 물을 길러 가는 것은 그리 유쾌한 일은 못 되었지만 우물가에 가면 자연히 한국 사람을 만나게 되고, 역시 몇 마디씩 소식을 들을 수 있었기 때문에 남자들은 그것을 유일한 낙으로 생각했었습니다.

물을 긷는 척하면서 라디오로 들은 새로운 소식을 얻어오기 시작하였으나 다행히 한 번도 들키지는 않았습니다.

서울을 탈환한 소식은 이러한 아슬아슬한 방법을 통해 즉시 알 수 있었습니다. 이날 저녁에는 각방마다 노래하고, 서로 축하를 하며 야단들이었습니다.

10월 7일

갑자기 떠나라는 호령이 내렸습니다. 비는 쏟아지는데 어디로 가는지 방향도 모르는 채 우리는 떠나야 했습니다. 압록강까지 가서 배를 타야 한다고 하였습니다. 그러나 멕틸드 수녀님은 강까지 걸어갈 수 없었으므로 들것에 태워 네 사람이 같이 메고 가게 되었습니다.

온종일 강기슭에서 배를 기다려도 배는 오지 않았으므로 다시 수용소로 돌아와야만 하였습니다. 그러나 이미 아침에 밥솥을 다 떼어버렸으므로 즉시 밥도 해 먹을 수 없고 거기다가 유리창은 벌써 다 떼어가버렸습니다. 밤에 저녁밥을 지어 먹기 위해 다시 솥을 걸었습니다. 이튿날 다시 출발하여 압록강 가에서 온종일 배를 기다렸으나 배는 역시 오지 않아 모두들 흥분하여 짜증을 내기도 하였습니다.

이튿날, 같은 일을 되풀이하므로 언제까지 이렇게 계속할 것인지 답답한 노릇이었습니다. 그런데 프랑스 공사가 트럭을 타고 가면 어떻겠느냐고 그들에게 제안했더니 다행히도 그 의견이 받아들여져서 트럭으로 떠나게 되었습니다. 밤 12시경에야 고산진에 도착할 수가 있었습니다.

〔2권에서 계속〕